Kommunikation/Sprache

Materialien für den Kurs- und Projektunterricht
Herausgegeben von Hans Thiel

Texte Ost – Texte West

Arbeitsmaterialien zur Sprache der Gegenwart
in beiden deutschen Staaten

Herausgegeben von Michael Kinne

Verlag Moritz Diesterweg

Frankfurt am Main · Berlin · München

ISBN 3-425-06250-6

1. Auflage

Umschlagentwurf: Hetty Krist-Schulz, Frankfurt am Main
Satz: acomp Lichtsatz KG, Wemding
Druck: aprinta, Wemding
Bindearbeiten: Großbuchbinderei Monheim

Inhalt

Einführung

Die vorliegende Sammlung umfaßt Texte über deutsche Sprache und in deutscher Sprache, die in Ost und West in den Jahren nach der Entstehung der beiden in ihren gesellschaftlichen und ökonomischen Strukturen weitgehend voneinander unterschiedenen deutschen Staaten geschrieben wurden.

Das vom Ausgangspunkt des Jahres 1945 an vorhandene, in den Folgejahren und bis heute über Zonen- und dann über Staatsgrenzen hinweg stets wachgebliebene Interesse in den beiden Teilen Deutschlands für das Geschehen im jeweils anderen Teil lenkte schon bald nach der Gründung der zwei Republiken den Blick auf die Folgen, die sich mit der Zweiteilung des Landes und der schnellen Konsolidierung der beiden so stark differierenden Staatswesen in zunehmendem Maße auch für die deutsche Sprache einstellten, und hier insbesondere für den öffentlichen Sprachgebrauch in den Bereichen Politik, Wirtschaft und Kultur sowie demgemäß im Bereich der verschiedenen Massenmedien.

Der *erste Teil* dieser Textsammlung bringt in chronologischer Folge kurze Ausschnitte aus Beiträgen, die sich mit eben diesen sprachlichen Folgen in mehr oder weniger unterschiedlicher Weise auseinandersetzen. Zu Wort kommen dabei Journalisten und Schriftsteller ebenso wie Politiker und Politologen und nicht zuletzt natürlich Sprachwissenschaftler.

Es waren Publizisten, die als erste das Interesse der Öffentlichkeit auf das Neue und auf das Trennende im öffentlichen deutschen Sprachgebrauch auf der einen wie auf der anderen Seite lenkten. Vor allem in der Bundesrepublik Deutschland erschienen und erscheinen noch heute aus jeweils aktuellem Anlaß in den Feuilletons der Tages- und Wochenpresse häufig Artikel zu diesem Thema. Einen Eindruck von der Fülle und inhaltlichen Vielfalt dieser journalistischen Beiträge zu geben, ist im Rahmen dieser Textsammlung nicht möglich. Es sei jedoch mit Nachdruck auf sie hingewiesen: als aktueller Ausgangspunkt für eine Behandlung des Themas der deutschen Sprache in Ost und West im Kurs- und Projektunterricht sind sie vorzüglich geeignet.

Angeregt durch die publizistischen Beiträge war das Problem der differierenden deutschen Sprachentwicklung bald auch ins Blickfeld der Sprachwissenschaft gerückt. Die spezifische Behandlung des Themas durch Publizisten und Literaten hat mit ihrem oft sehr polemischen Ton, mit ihren wenig fundierten Wertungen und Verallgemeinerungen und besonders mit ihren politisch-ideologischen Implikationen deutliche Spuren in vielen frühen sprachwissenschaftlichen Untersuchungen hinterlassen, gewiß nicht zum Vorteil und Nutzen einer angemessenen Behandlung des Themas durch die Wissenschaft.

Von den hier auszugsweise zitierten Texten über Sprache in Ost und West stammt der größere Teil von Sprachwissenschaftlern. Die wiedergegebenen Textpassagen enthalten in der Regel nur in geringem Umfang Beispielmaterial für die differierenden sprachlichen Erscheinungen. In vielen (auch in hier nicht zitierten) sprachwissenschaftlichen Untersuchungen wird natürlich eine beträchtliche Beispielfülle als Argumentationsbasis bereitgehalten. Der Verzicht auf die Wiedergabe größerer Beispielmengen erfolgte hier in erster Linie im Hinblick darauf, daß die Beispiele anhand von Originaltexten während der Unterrichtsvorbereitung bzw. im Unterricht selbst erarbeitet werden sollten.

An den im ersten Teil zitierten Texten wird sich leicht erkennen lassen, daß der für die DDR charakteristische Sprachgebrauch generell weitaus häufiger thematisiert wurde als die sprachliche Entwicklung im Westen. Die in der Bundesrepublik Deutschland entstandenen Beiträge waren zunächst und zum großen Teil noch bis weit in die sechziger Jahre hinein nahezu ausschließlich Arbeiten zur Ostvariante der deutschen Sprache. Sie wurde in vielen ihrer Erscheinungen als gänzlich neu und als von manchen Normen abweichend empfunden und dargestellt und durchweg negativ bewertet. Die Voraussetzungen für eine solche Einschätzung sollten ebenso wie die Frage nach ihrer Angemessenheit im Unterricht erörtert werden.

Die Reaktion der Sprachwissenschaft im Osten auf diese westlichen Beiträge zeigte sich, neben stereotyper Polemik gegen bestimmte Erscheinungen des Sprachgebrauchs in der Bundesrepublik Deutschland, vor allem in eigenen Untersuchungen gegebenermaßen ebenfalls des DDR-Idioms. Waren diese zunächst noch weitgehend als Versuche einer Korrektur der Darstellungen aus der Bundesrepublik Deutschland anzusehen, so ist an ihre Stelle inzwischen längst eine größere Zahl von Arbeiten getreten, die sich in selbstbewußter und eigenständiger Weise aus marxistischer Sicht verschiedenen Aspekten und Erscheinungsformen der deutschen Sprache in der DDR zuwenden.

Überblickt man die jetzt schon über zwanzigjährige Geschichte sprachwissenschaftlicher Arbeit am Gegenstand Sprache Ost – Sprache West, so ergeben sich bemerkenswerte Umschichtungen einzelner Positionen:

In der Bundesrepublik Deutschland steht am Anfang der vehemente Angriff auf weite Bereiche des öffentlichen Sprachgebrauchs in der DDR, den man als mehr oder weniger große Gefahr für die Einheit der deutschen Sprache empfindet und interpretiert. Diese lange gehaltene Position wird sodann in all ihren Ausprägungen einer grundlegenden Kritik unterzogen. Das Ergebnis ist einmal die differenziertere Auseinandersetzung mit dem DDR-Sprachgebrauch; zum anderen rücken in den Untersuchungen methodische Fragen mehr und mehr ins Blickfeld. Unverkennbar ist nun – wohl vor allem aufgrund der früher gemachten Fehler – eine gewisse Reserviertheit und Unsicherheit dem politisch so hochbrisanten Ost-West-Sprachproblem gegenüber. Die Zahl der sprachwissenschaftlichen Arbeiten zum Thema nimmt in der Bundesrepublik Deutschland in letzter Zeit deutlich ab.

Die DDR-Sprachwissenschaft ist angesichts der westlichen Angriffe auf den Sprachgebrauch im Osten zunächst für lange Zeit in eine Verteidigerrolle gedrängt. Aus dieser Position heraus erwächst nach einem langjährigen Prozeß der intensiven Nutzbarmachung marxistischer Sprachtheorien die Proklamation einer in weiten Bereichen eigenständigen sozialistischen deutschen Sprachvariante, deren Spezifika in einer in den letzten Jahren ständig zunehmenden Zahl von Untersuchungen dargelegt werden. Eine Verteidigung der Einheit der deutschen Sprache, wie sie in den fünfziger Jahren in der DDR sehr engagiert betrieben wurde, findet dementsprechend heute nicht mehr statt.[1]

---

[1] Systematische sprachwissenschaftliche Untersuchungen der Entwicklung der deutschen Sprache in Ost und West werden heute in erster Linie durchgeführt

Die Wandlungen, die sich in den Positionen, Auffassungen und Verfahrensweisen der ost- wie der westdeutschen Sprachwissenschaft in ihren Auseinandersetzungen mit den Differenzierungserscheinungen in der deutschen Gegenwartssprache vollzogen haben, können nicht isoliert von den sie begleitenden zeitgeschichtlichen Ereignissen betrachtet werden. Die Periode des Kalten Krieges und die seit 1961 verstärkt betriebene Politik der Abgrenzung durch die DDR haben ebenso wie der Machtwechsel 1969 in Bonn und die neue Ostpolitik der sozialliberalen Regierung deutlich Spuren in der Art der wissenschaftlichen Behandlung und der generellen Einschätzung des sprachlichen Ost-West-Problems hinterlassen. Eine dem Gegenstand angemessene Erarbeitung des Themas Sprache Ost – Sprache West im Unterricht darf bei den dazu unerläßlichen sprach- und wissenschaftsgeschichtlichen Exkursen diese zeitgeschichtlichen Bezüge keinesfalls unbeachtet lassen.

Von den im *zweiten Teil* dieses Sammelbandes zusammengestellten Primärtexten aus der DDR und aus der Bundesrepublik Deutschland wird man vielleicht erwarten, daß sie gewissermaßen alle die in den Sekundärtexten des ersten Teils behandelten sprachlichen Erscheinungen exemplifizieren werden. Einem solchen Anspruch können diese Texte natürlich ebensowenig gerecht werden, wie sie auch – schon aus Gründen der begrenzten Quantität – nicht dazu in der Lage sind, einen wirklich vollständigen Überblick über *den* Sprachgebrauch in der DDR oder über *den* der Bundesrepublik Deutschland zu vermitteln.

Der Auswahl der abgedruckten Texte lag vielmehr die Absicht zugrunde, für den Unterricht geeignete Modelle möglicher Textvergleiche vorzuführen. Es ging einmal darum, inhaltlich ebenso ergiebige wie vergleichbare Texte aus unterschiedlichen Sparten und vielfältigen Themenbereichen gegenüberzustellen. Die hier ausgewählten Textarten können leicht durch andere erweitert bzw. ergänzt werden: genannt seien beispielsweise Texte aus der Wirtschaftspolitik, der Anzeigenwerbung oder der Wahlpropaganda, Feuilletontexte (Theater, Filmkritiken) oder Passagen aus Sachbüchern.[2] In einem Fall wurde bei den hier wiedergegebenen Primärtexten das Prinzip der Ost-West-Gegenüberstellung durchbrochen: zum Themenbereich Jugend und Schule sind nur Texte aus der DDR aufgeführt, die durch vergleichbare Texte aus dem eigenen schulischen Erfahrungsbereich ergänzt werden sollten.

Neben der adäquaten inhaltlichen Vergleichbarkeit war für die Auswahl eines Textes andererseits die Ergiebigkeit seiner sprachlichen Gestalt für die lexikologi-

---

- am Zentralinstitut für Sprachwissenschaft der Akademie der Wissenschaften der DDR in Berlin und
- in der Forschungsstelle für öffentlichen Sprachgebrauch des Mannheimer Instituts für deutsche Sprache in Bonn.

[2] Die Beschaffung von Texten aus der DDR scheint heute manchem komplizierter zu sein, als sie es in Wirklichkeit ist. Neben einschlägigen Bibliotheken und Archiven werden sowohl das Gesamtdeutsche Institut in Bonn (Adenaueralle 10) als auch die Informationsabteilung der Ständigen Vertretung der DDR in der Bundesrepublik (Bonn-Bad Godesberg, Kölner Str. 18) bei der Beschaffung von Texten gewiß behilflich sein. Schließlich sollten auch eigene oder Schüler-Reisen in die DDR stets zur Materialbeschaffung genutzt werden.

sche, stilistische und semantische Analyse im Unterricht natürlich in gleicher Weise mitbestimmend.

Eine Beschäftigung im Unterricht mit der deutschen Gegenwartssprache in der DDR und in der Bundesrepublik Deutschland wird in der Regel von Texten auszugehen haben, die, abgesehen von den bereits genannten Kriterien, aktuell und thematisch möglichst interessant sind. Als Quelle bietet sich dafür in erster Linie die Presse an, in deren sprachlicher Gestalt der jeweilige öffentliche Sprachgebrauch weitgehend realisiert und damit greifbar wird. Bei den hier zusammengestellten Texten dominieren demgemäß solche, die zunächst jüngeren Datums und die bevorzugt der Presse entnommen sind. Aber auch ein Rückgriff auf Texte älteren Datums kann sinnvoll sein; er ist vor allem dann gerechtfertigt, wenn es möglich ist, vergleichbare jüngere Texte als Kontrast in die Betrachtung mit einzubeziehen. Hier wurden als Beispiel dafür Neujahrsansprachen ausgewählt, die zeitlich zehn Jahre auseinanderliegen. Nimmt man noch die um ein weiteres Dezennium zurückliegenden Ansprachen hinzu, so bietet sich damit im Ansatz sogar eine Möglichkeit zu diachronischen Sprachbetrachtungen. Diese werden freilich nur auf der Grundlage einer ausreichenden Kenntnis der heutigen Sprachsituation sinnvoll sein. Als Regelfall für den Unterricht wird jedoch – schon aus zeitlichen Gründen – die synchrone Sprachbetrachtung angesehen werden müssen.

Bei der Behandlung der Primärtexte im Unterricht wird sich die sprachliche Analyse mit einer inhaltlichen wechselseitig bedingen. Vorrangig für die inhaltliche Analyse ergibt sich die Notwendigkeit, dem Schüler ausreichende Informationen zu den zugrundegelegten Texten zu vermitteln, die jedoch ebenso für die sprachliche Analyse fruchtbar gemacht werden können. Die Unterrichtsarbeit am Thema Sprache Ost – Sprache West muß notwendigerweise sprachliche, zeitgeschichtliche und gesellschaftliche Fragen miteinander verbinden. Diese Kombination erst wird es ermöglichen, sich mit den Texten in angemessener Weise sachlich und kritisch auseinanderzusetzen und die mannigfaltigen Beziehungen zwischen Gesellschaft und Sprache sowie zwischen Politik und Sprache zu erkennen, um schließlich zu kritischen Wertungen dieser Wechselwirkungen und der sprachlichen Erscheinungen kommen zu können. So wird sich die Arbeit mit den hier vorgelegten Texten im Kurs- bzw. im Projektunterricht auf verschiedenartige *Lernziele* konzentrieren. Jedoch sollte sie vorrangig dazu befähigen

– die Beschaffenheit und die Problematik der ‚zwei Sprachen in Deutschland' exakt darstellen und angemessen erklären zu können,

– die sprachlichen Unterschiede zwischen Ost und West auf die grundlegenden politischen und ökonomischen Unterschiede der Gesellschaftssysteme zurückführen zu können und

– die verschiedenen Ursachen für Kommunikationsschwierigkeiten zwischen Ost und West erkennen und kritisch untersuchen zu können.

Die Unterrichtsarbeit, die auf solchen Zielvorstellungen basiert, wird bei der Erschließung der Texte von variablen Fragestellungen auszugehen haben, die sowohl aus den Besonderheiten der jeweiligen Texte oder Textgruppen selbst als auch aus übergeordneten Zusammenhängen abzuleiten sind.

Die folgende *Zusammenstellung möglicher Fragen an die Texte* bringt dementsprechend nur Beispiele und kann keineswegs einen Anspruch auf Vollständigkeit

erheben. Je vielfältiger die für den Unterricht ausgewählten Texte sind, desto größer wird die Zahl der für die Lernziele ergiebigen Fragestellungen sein. Deshalb kann eine Erweiterung vor allem des in diesem Band enthaltenen primären Textmaterials, dessen Umfang notwendigerweise begrenzt ist, für die Unterrichtsarbeit gewiß von Vorteil sein. Die meisten Texte können mit Fragestellungen wie den folgenden konfrontiert werden:
- Was ist über die Entstehungszeit, den Ort der Veröffentlichung und gegebenenfalls über den Autor des Textes und seine Absichten zu erfahren?
- Lassen sich für diesen Text aus einem ihm übergeordneten Kontext ergiebige Kriterien ableiten?
- Wie ist der Text aufgebaut? Welche Abfolge der Argumentation läßt sich feststellen?
- Weist der Text sprachliche und stilistische Besonderheiten auf? Welche unbekannten oder ungewohnten und ungeläufigen Wörter und Wendungen enthält er?
- Welche inhaltlichen und welche sprachlichen und stilistischen Charakteristika weisen ihn als einen Text aus, der in dieser Gestalt nur in der DDR/nur in der Bundesrepublik Deutschland geschrieben worden sein kann?
- Sind Wortwahl und Sprachstil dem Inhalt des Textes angemessen?
- Welche Ideologie, welche gesellschaftlichen Leitbilder liegen dem Text zugrunde?
- An welchen Adressaten wendet sich der Text?
- Welche Wirkungen will der Text erzielen? Welche Wirkung hat er auf mich selbst?

Abschließend seien *einige Themen* vorgeschlagen, die aufgrund des hier vorgelegten Textmaterials *für schriftliche Arbeiten* besonders geeignet erscheinen:
- Inhaltlicher und sprachlicher Vergleich zweier sich thematisch entsprechender Primärtexte aus der DDR und aus der Bundesrepublik Deutschland
- Sprachliche und inhaltliche Analyse eines Textes, dessen Herkunft ungenannt bleibt
- Vergleichende Analyse von Textausschnitten aus dem Sekundärmaterial zum Problem der unterschiedlichen Sprachentwicklung in Ost und West (Vergleich eines Osttextes mit einem zeitgleichen Westtext; Vergleich eines älteren mit einem neueren Osttext/Westtext)
- Referat zum Thema ‚Wie viele deutsche Sprachen gibt es?‘
- Arbeit über eine bestimmte sprachliche Erscheinung (neuer Wortschatz; semantische Differenzen; Fremdwörter; Abkürzungen; diverse Staatsbezeichnungen etc.)
- Sprachliche und ideologiekritische Analyse von Wörterbuch-/Lexikonartikeln aus Ost und West zum selben Wort

Als *Hilfsmittel für den Unterricht* sind die folgenden Publikationen besonders geeignet:

MANFRED W. HELLMANN (Hg.), Bibliographie zum öffentlichen Sprachgebrauch in der Bundesrepublik Deutschland und in der DDR. Düsseldorf: Schwann 1976

WALTHER DIECKMANN, Sprache in der Politik. Einführung in die Pragmatik und Semantik der politischen Sprache. Heidelberg: Winter ^{2}1975

GEORG KLAUS, Sprache der Politik. Berlin (Ost): Deutscher Verlag der Wissenschaften 1971

PETER CHRISTIAN LUDZ, JOHANNES KUPPE, DDR-Handbuch. Köln: Verlag Wissenschaft und Politik 1975

Zur Behandlung des Themas im Unterricht liegt bisher kaum Literatur vor. Vgl. aber:

HANS THIEL, Sprachvergleich BRD-DDR. In: H. T. (Hg.), Deutschunterricht im Kurssystem. Frankfurt/M.: Diesterweg 1976, S. 61–71

Zu den Texten:

Kürzungen des Herausgebers sind durch [. . .] gekennzeichnet. Da es sich bei den Texten von Teil I in der Regel um nur kurze Ausschnitte handelt, wurde das Eingebundensein in den größeren Zusammenhang des Originals hier nicht nochmals am Anfang und Ende durch das Auslassungszeichen [. . .] besonders markiert. Anmerkungen und Querverweise wurden aus den Texten (bis auf Text I. 19.) nicht übernommen. Die mit Sternchen versehenen Fußnoten stammen vom Herausgeber.

Bei den Überschriften der zitierten Texte handelt es sich in einigen Fällen nicht um die originalen Titel. In den Fällen, in denen hier entweder eine völlig andere Überschrift gewählt oder nur ein Teil des Originaltitels wiedergegeben wurde, finden sich die genauen bzw. die erweiterten Angaben zum Originaltitel in der Quellenangabe am Ende des jeweiligen Textes unmittelbar hinter dem Verfassernamen.

I. Texte über deutsche Sprache nach 1945

Texte Ost

1. Johannes R. Becher: Die Reinheit und Sauberkeit der Sprache bewahren

Im Zeichen der Erhaltung des Friedens und der Wiedervereinigung unseres Vaterlandes müssen diejenigen, denen die Pflege deutschen Sprachguts anvertraut ist, alles tun, um die Forderung Goethes nach Reinigung und Bereicherung der Sprache zu erfüllen. Je deutscher unsere deutsche Sprache bleibt, je genauer, je eindeutiger wir uns in ihr ausdrücken, desto leichter wird es sein, uns über jede Art von Grenzen hinweg zu verständigen und Deutsche unter Deutschen zu bleiben. Je entschiedener, je unversöhnlicher wir allen Versuchen entgegentreten, die deutsche Sprache verwildern und verludern, sie durch fremdländischen Jargon „bereichern" zu lassen, sie unklar und mißverständlich, sie verdunkeln und verwolken zu lassen, desto eher werden wir auch imstande sein, ein deutsches Gespräch zu führen, das ja nur erfolgreich sein kann, wenn wir es, ohne Anlaß zu Mißdeutungen zu geben, und unmißverständlich, wenn wir es aufrichtig und klar zu führen imstande sind.

So wie wir alles daransetzen müssen, die Reinheit und Sauberkeit, ja ich möchte sagen, die Menschlichkeit unserer deutschen Sprache zu bewahren, so werden unsere Gegner alles unternehmen, diese saubere, klare, diese anständige, menschliche deutsche Sprache zu verwirren, ihre Worte zu verdrehen, ins Gegenteil zu verkehren, um auf diese Weise die Deutschen untereinander zu entfremden. Nichts hassen die Kriegstreiber so sehr, als daß Deutsche miteinander deutsch reden, wobei sie wohl eine Ahnung haben mögen, daß „deutsch reden" gleichbedeutend sein kann mit eindeutig, klar und verbindlich sprechen.

Wir wollen uns angesichts der ungeheuerlichen Gefahr, wie sie durch die Machenschaften der Kriegstreiber für die Existenz unserer Nation gegeben ist, rechtzeitig auf all das Große besinnen, was uns in unserem Nationalgefühl stärken und erheben kann. [. . .]

Zu dem Großen in unserer Vergangenheit gehören [. . .] auch [. . .] all jene guten Geister, die unsere deutsche Sprache gepflegt und gehegt haben, im richtigen Gefühl dafür, daß es keine Entwicklung der deutschen Nation gibt ohne die Heranbildung einer nationalen Sprache, ohne eine deutsche Nationalliteratur. [. . .]

Wer von der nationalen Bedeutung der Sprache überzeugt ist, wird mit uns auch darin übereinstimmen, daß den Deutschunterricht zu verbessern, ihn zu erweitern und zu vertiefen eine Sache ist, die uns alle gleichermaßen angeht, seien es Lehrer oder Eltern, seien es Künstler oder Wissenschaftler oder seien es Behörden, Politiker. Sie alle sind ohne Ausnahme dazu aufgerufen, im Sinne der Forderung Goethes für eine Reinigung und Bereicherung unserer deutschen Sprache zu wirken und auch auf diese Weise die Nation als unteilbar Ganzes zu erhalten.

(JOHANNES R. BECHER, Unsere Sprache [1952]. In: J. R. B., Verteidigung der Poesie. Berlin/DDR: Aufbau-Verlag 1960, S. 129–134. Ausschnitt: S. 130–131, 134)

2. Viktor Klemperer: Zur gegenwärtigen Sprachsituation in Deutschland

Eine Sprache [. . .] ist nach Herkunft und entscheidender Aufgabe das gemeinsame Eigentum aller Teile der Nation, das gemeinsame Verkehrs- und Verständigungsmittel all ihrer Teile; wo sie trennt, statt zu vereinen, wo sie der Abkapselung statt der Verbindung dient, ist sie im harmlosen Fall Dialekt, im peinlicheren Jargon, aber niemals im vollen Sinn des Begriffes Sprache. [. . .]

Mit der Hauptmasse ihres Wortschatzes und mit ihrer grammatischen Struktur dient eine Sprache gleicherweise verschiedenen Kulturen; wir sprechen also im wesentlichen das gleiche Deutsch wie vor 1945, und alle Parteien im Lande sprechen es gleichermaßen. Weil aber Sprache den Körper der Ideen darstellt, so wird der vorhandene Sprachschatz durch neu hinzutretende Worte ergänzt, keineswegs jedoch revolutionär verdrängt oder ersetzt. Nur ganz allmählich und keineswegs plötzlich verändert sich der Zustand der gesamten Sprache. [. . .]

Über Deutschland [. . .], vielmehr über das Dritteil Deutschlands, das heute die DDR bildet, bricht von außen her im Sturm das Neue herein. Auch hier hält mit Selbstverständlichkeit der alte Sprachstamm, aber, um im Bilde zu bleiben, er biegt sich doch im Sturm; es tauchen nicht nur neue Wörter auf, und einige vordem gebrauchte versinken, sondern der gesamte Tenor der Sprache, ihr Stil ändert sich da und dort merklich. Stil ist Sondergepräge vorhandenen Materials; Stil hat keinen eigenen Wortschatz und keine eigene Grammatik, aber er trifft seine eigene Wortauswahl und -gliederung, er bestimmt Tempo und Farbe der Sätze. [. . .]

Das Merkwürdige und Bedrohliche an der deutschen Sprachsituation ist nun dies, daß der Wind aus Osten nur über einem Drittel unseres Vaterlandes weht; an den Grenzen unserer Republik hört er auf, und überall jenseits dieser Grenzen, in allen den Westmächten unterstellten Teilen Deutschlands, herrscht nicht etwa Windstille, sondern die entschiedenste Gegenbewegung. [. . .]

Die nazistische Sprachpest, von der wir uns zu befreien bestrebt sind und halbwegs befreit haben, blüht drüben wieder auf. Ihre von hier vertriebenen Verbreiter dürfen dort ihr Idiom weiterpflegen, da es der faschistischen Gesinnung und Absicht der herrschenden Vereinigten Staaten entspricht. Zu einer Bewußtseins- und damit einer Denk- und Sprachänderung der Massen liegt kein ökonomischer Anstoß vor. [. . .]

Engstes, notwendigstes Verbindungsmittel zwischen allen Teilen einer Nation ist aber die Gemeinsamkeit der Sprache. Somit muß es das ideale Ziel der amerikanischen Gewaltherren und des Klüngels ihrer westdeutschen Helfershelfer sein, diese Gemeinsamkeit aufzuheben, indem nicht nur das neue Sprachgut, der neue Sprachstil des Ostens abgewehrt, sondern zugleich auch die eigene Sprache, der eigene Sprachstil in entgegengesetzter Richtung, in der Richtung auf Kosmopolitismus, Amerikanismus und Dekadenz „fortentwickelt" wird. [. . .]

Nachdem der erste Weltkrieg die Invasion amerikanischer Verbündeter über Frankreich gebracht hatte, konnte man an den Schaufenstern großer Pariser Läden die Mitteilung lesen: „English spoken – American spoken." Gewiß, man sprach und spricht auch heute in London wie in New York Englisch, aber die Abweichungen der beiden Idiome voneinander sind doch allmählich so starke geworden, daß es zur leichteren Verständigung dem Ausland gegenüber besonderer Dolmetscher für das Amerikanische und für das Englische bedarf, daß es bereits auch Sonderwörterbücher dafür gibt.

Mit fast ähnlicher Berechtigung wie dieses English spoken – American spoken könnte in einer fernen Zukunft an Schaufenstern des Auslands die Ankündigung stehen: „Hier spricht man Ostdeutsch" – „Hier spricht man Westdeutsch", wenn wir nicht heute schon dieser möglichen Gefahr den festesten Riegel vorschöben, indem wir mit allen Mitteln, und immer bereitwilliger unterstützt von den Gutwilligen in Westdeutschland, für die Einheit unseres Vaterlandes kämpften.

Mein Vergleich stellt diese Gefahr absichtlich unter ein Vergrößerungsglas. Denn zwischen dem Amerikanischen und dem Englischen liegen Verschiedenheiten in der Grammatik und in der Aussprache und wesentliche Abweichungen im allgemeinen Wortschatz. In der deutschen Sprache dagegen handelt es sich im wesentlichen nur um stilistische Abweichungen und um die Entwicklung eines besonderen ideologischen Sprachgutes auf unserer Seite. Es hat sehr lange Zeit gedauert, ehe die erwähnte Entwicklung im Englischen hervortrat. Die Gründe für die raschere deutsche Entwicklung liegen klar am Tage: sie bestehen in der Änderung der ökonomischen Grundlage, der Änderung des kulturellen Zustands und Strebens im östlichen deutschen Drittel, mehr aber noch im Sprachverhalten Westdeutschlands, das weit mehr ist als nur ein Nichtmitgehen, ein Stillstand, eine passive Resistenz. Hauptschuld an der gegenwärtigen Situation trägt die amerikanische Zerreißprobe. Da nun die Einheit der deutschen Nation aufs schwerste gefährdet ist und da alles darauf ankommt, daß ihr geistiger Zusammenhang, ihr Einanderverstehen unbedingt gewahrt bleibt, so bedeutet schon die leiseste sprachliche Dissonanz eine schwere Gefahr.

(VIKTOR KLEMPERER. Berlin/DDR: Aufbau-Verlag 1954 [zuerst 1952]. Ausschnitte: S. 3, 9–10, 13–16 [© Melzer Verlag, Darmstadt])

3. Ferdinand Carl Weiskopf: „Ostdeutsch" und „Westdeutsch" oder über die Gefahr der Sprachentfremdung

Unsere moderne Schrift- und Literatursprache hat seit ihrer Geburt in den Tagen der Lutherschen Bibelübersetzung schon mehrere Epochen der Verwilderung und des Verfalls durchlitten. Aber keine der früheren Krisen läßt sich mit der gegenwärtigen vergleichen. [. . .]

Jeder, der Gelegenheit hat, die Entwicklung der Umgangs- und Literatursprache in beiden Teilen Deutschlands zu verfolgen, weiß, daß es heute schon eine gewisse Sprachentfremdung zwischen dem Osten und dem Westen des Landes gibt. Es läßt sich auch ohne große Mühe feststellen, daß die Entfremdungstendenzen hüben und drüben sich mit der Zeit immer mehr verstärken. [. . .]

Die Ursachen der sprachlichen Veränderungen diesseits und jenseits der Zonengrenze liegen nicht nur in einer wachsenden „Sprachkriminalität" (die grammatischen Gesetze werden immer häufiger und unbedenklicher gebrochen) und einem fortschreitenden Verfall des Sprachempfindens. Sie sind zum Teil auch Folgen veränderter gesellschaftlicher Verhältnisse und Beziehungen, Ausdruck eines gewandelten Lebensinhalts und -gefühls. Diese unvermeidlichen Veränderungen haben nichts mit einem Krankheitsprozeß gemein, sie stellen eine Ergänzung unseres Spracherbes dar und tun letzten Endes der Spracheinheit keinen Abbruch.

Anders steht es um die vermeidbaren Übel: die Entartung, Verarmung, Barbarisierung und Verfremdung, durch die unsere heutige Sprachmisere gekennzeichnet ist – eine Misere, an der beide Seiten schuld sind und nicht, wie wir bequemer-, aber schädlicherweise oft annehmen, nur die andere, die westliche. Freilich sind die Sünden wider die Sprache, abgesehen von gewissen „gesamtdeutschen Schlampereien", hüben und drüben verschieden an Art und Gewicht.

Beginnen wir [. . .] mit dem Schuldkonto unserer Seite. Die Hauptquelle der Mißbildungen, durch die wir zur Sprachentfremdung zwischen Ost und West beitragen, ist zweifellos in dem Überwuchern des Spruchbänder-, Behörden- und Parteijargons zu suchen. [. . .]

Slawismen, durch mechanische Übersetzung aus dem Russischen (zumeist auf dem Wege über die Presse) ins Deutsche eingeführt, stellen eine weitere Art der Sprachverwilderung dar, die – weil nur bei uns, nicht auch drüben anzutreffen – dem Prozeß der sprachlichen Entfremdung zwischen beiden Teilen Deutschlands Vorschub leistet. [. . .]

Erwähnen wir zum Schluß noch die allermaßen alberne Übernahme von Fremdwörtern aus zweiter Hand, nämlich in einer nicht bei uns, wohl aber von unseren russischen Freunden gebrauchten Form. [. . .]

Der westdeutsche Anteil an der Sprachentfremdung ist anderer Art. Schon eine flüchtige Betrachtung der Schrift- und Literatursprache in Westdeutschland läßt erkennen, daß dort ein weit größerer Teil des waffenklirrenden, zutiefst menschenfeindlichen Braunwelschs der Hitlerzeit im Umlauf ist als bei uns. Ich spreche von einem größeren Teil, weil dieses faule Erbe auch diesseits der Elbe noch vorhanden ist. [. . .] Doch während hüben das Braunwelsch bloß als übriggebliebener Bodensatz einer dunklen Vergangenheit noch fortbesteht, gewinnt es drüben in der durch die Wiederaufrüstungspolitik, das massenhafte Erscheinen von Soldatenzeitungen, die Flut der nationalsozialistischen Generalserinnerungen und anderer geistesverwandter Bücher und Filme erzeugten günstigen Atmosphäre ständig an Boden. [. . .]

Noch gefährlicher als das Wiederaufleben der braunen Sprachpest – weil auch Kreise erfassend, die sich gegen diese wehren – ist eine andere Seuche: die Verfremdung des Deutschen durch das massive Eindringen amerikanischer Wörter und Wendungen. [. . .]

Bleibt noch – am Ende dieser kurzen Übersicht über einige der besonderen „ostdeutschen" und „westdeutschen Sprachsünden", die zu einer wachsenden sprachlichen Entfremdung zwischen den beiden Teilen Deutschlands führen müssen – die Frage, was getan werden kann, um diesen Entfremdungsprozeß zu unterbinden und rückgängig zu machen. Eins vor allem: hüben und drüben, und wann immer es geht: gemeinsam den Schatz unseres einheitlichen Spracherbes gegen jede Verstümmelung, Verfremdung und Verunreinigung verteidigen und die Schönheit unserer „weiten, räumigen, tiefen, reinen und herrlichen Muttersprache" (Schottel) in allem, was wir schreiben, aufleuchten lassen. Wenn wir das mit Leidenschaft und Anhaltsamkeit tun, dann braucht uns um die sprachliche Einheit nicht bange zu sein.

(FERDINAND CARL WEISKOPF, Verteidigung der deutschen Sprache. Versuche. Berlin/DDR, Weimar: Aufbau-Verlag 1960; zit. nach: Neue Deutsche Literatur (Berlin/DDR) 3, 1955, H. 7, S. 79–88. Ausschnitt: S. 79–80, 82–84, 88)

4. Aktuelle Aufgaben der Germanistik nach dem XXII. Parteitag der KPdSU und dem 14. Plenum des ZK der SED

Die aus den Ergebnissen des XXII. Parteitages der KPdSU und des 14. Plenums des ZK der SED abgeleitete Politik der DDR stellt auch dem linguistischen Zweig der Germanistik neue theoretische und praktische Aufgaben. Zwar ist der Gegenstand der germanistischen Linguistik – die deutsche Sprache in ihren geschichtlichen und strukturellen Zusammenhängen – seinem Wesen nach nicht klassengebunden (eine Feststellung, die von dem Einfluß der Klassen auf die Geschichte, Lexik und Stilistik bestimmter gesellschaftlicher Existenzformen der Sprache vorerst abstrahiert), doch werden die gesellschaftlichen Anforderungen an seine wissenschaftliche Bearbeitung und mit ihnen viele Methoden und theoretische Verallgemeinerungen durch die Ziele und die Praxis des sozialistischen Aufbaus bestimmt. [. . .]

Wichtige Probleme wirft die Präzisierung der nationalen Frage auf. Seit Jahr und Tag kann man Äußerungen von westdeutscher Seite hören, daß die gesellschaftliche Entwicklung in der DDR, der Keimzelle der sozialistischen Nation, die Einheitlichkeit der deutschen Sprache gefährde. Sie sind zum größten Teil mehr oder minder bewußt von antikommunistischen Motiven bestimmt. [. . .]

Die Besonderheit der nationalsprachlichen Situation in Deutschland beruht darauf, daß die einen verschiedenen Klassenstandpunkt widerspiegelnden Begriffssysteme der Arbeiterklasse und der imperialistischen Bourgeoisie zu einem bestimmten Teil in den ideologischen Überbauten verschiedener staatlicher Verkehrsräume konsolidiert worden sind. Aber auch wenn man dies feststellt, darf man nicht außer acht lassen, daß es in Westdeutschland eine Arbeiterklasse gibt, deren objektive Interessen im unversöhnlichen Gegensatz zu den Interessen der imperialistischen Führungsschicht stehen und deren Denken trotz unablässiger Beeinflussung durch einen hochgezüchteten Propagandaapparat nicht mit dem der herrschenden Klasse übereinstimmt. Zahlreiche Bedeutungsgegensätze zwischen dem Sprachgebrauch der sozialistischen Arbeiter-und-Bauern-Macht und dem des Bonner Staatengebildes finden sich innerhalb der westdeutschen Klassengesellschaft wieder. Sie sind nicht an die Grenze zwischen der DDR und Westdeutschland gebunden. Weiterhin tragen Rundfunk und Fernsehen den ideologischen Kampf des rechtmäßigen deutschen Nationalstaates gegen die imperialistischen Spalter der Nation über seine Grenze hinaus. Neologismen, die jenseits von ihr nicht sofort adäquat verstanden werden, sind bei weitem nicht zahlreich genug, um die Stabilität einer historisch herausgebildeten, durch Schrift und grammatische Kodifizierung gefestigten gesamtnationalen Literatursprache zu gefährden. [. . .] Sowohl in dem ideologisch-politischen Kampf gegen den westdeutschen Imperialismus als auch bei der Propagierung der Ideen des Friedens und des Sozialismus und in der Auseinandersetzung mit unklaren oder schwankenden Meinungen bei Bürgern in unserer DDR bildet die gesamtnationale Literatursprache das wichtigste Instrument zur Überzeugung der Massen. Sie vermittelt den Menschen, mit denen wir reden und für die wir schreiben, unser politisches Denken und Wissen. Sentimentale Jeremiaden bürgerlicher Apologeten des Imperialismus entbehren der linguistischen Grundlage. Dennoch gilt es, ihrer politischen Tendenz entgegenzutreten.

Die gesellschaftliche Entwicklung der DDR zum Sozialismus und zum Kommunismus wird auf andere Weise Folgen für die Zukunft der Nationalsprache haben. Die sozialistische Kulturrevolution, die Verwirklichung der gebildeten Nation, werden auch die Sprachkultur zum Massenbesitz machen. Die literatursprachliche Tradition und die Redeweise der Volksmassen als der kollektiven Schöpfer der Sprache werden sich durchdringen. Die gesamtnationale Literatursprache wird damit auch in sozialer Hinsicht zum allgemeinen Eigentum des Volkes. [. . .] Durch ihre bewußte Kulturpolitik wird die DDR zum lokalen Zentrum und Ausgangspunkt einer Höherentwicklung und vollen Entfaltung der Nationalsprache im sozialistischen Deutschland. Die Einsicht in diese Problematik gibt unserer gesamten Spracherziehung eine neue, schöpferische Grundlage.

(Keine Verfasserangabe, aus: Weimarer Beiträge (Berlin/DDR) 8, 1962, H. 2, S. 241–263. Ausschnitt: S. 256, 257–258)

5. Joachim Höppner: Über die deutsche Sprache und die beiden deutschen Staaten

Selbstverständlich wird in beiden Teilen Deutschlands nach wie vor deutsch gesprochen, und der grundlegende Wortbestand ist derselbe. Dennoch wurden in der DDR, aber in beträchtlichem Maße auch in Westdeutschland nicht nur neue Bezeichnungen für alle Bereiche des gesellschaftlichen Lebens geprägt, sondern vor allem viele geläufige Wörter mit einem neuen begrifflichen Inhalt erfüllt, der ihre herkömmliche Bedeutung wandelte.

Diese Erscheinung wird von westdeutscher Seite seit langem in der psychologischen Kriegführung gegen die DDR, gegen die marxistisch-leninistische Partei und ihre sozialistische Ideologie ausgenutzt. Dafür sucht man auch Sprachwissenschaftler einzuspannen. [. . .]

Welche „sprachlichen Konsequenzen" ergeben sich jedoch aus der weiteren sozialistischen Entwicklung in der DDR? Die Behauptung, wir spalteten mit unseren Neuwörtern und Neubedeutungen die deutsche Sprache, ist häufig von westlicher Seite zu hören und ruft auch bei einigen unserer Germanisten Unsicherheit hervor. Oft wird sie nur vorgebracht, um mit der Abneigung gegen diesen Wortschatz und seinen Sinngehalt auch die Ablehnung der Sache zu wecken, die er ausdrückt. Das ganze Problem ist indessen – wie alle Fragen der Einheit der Nation – nicht von der bloßen staatlichen Spaltung abhängig, sondern vielmehr vom Klassengegensatz, von den „zwei Nationen innerhalb der Nation" (Lenin). [. . .] Die Bedeutung, die das Wort ‚Freiheit' in der DDR hat, ist nicht dem Russischen entlehnt, sondern sie ergibt sich aus der proletarischen Weltanschauung, die der größte Sohn des deutschen Volkes, Karl Marx, begründete. Mit gleich viel oder wenig Recht könnte man sagen, das Russische habe diese Bedeutung dem Deutschen entlehnt. Es handelt sich aber vielmehr um ein Problem innerhalb der deutschen (wie der russischen) Sprache. Es besteht, seit Marx und Engels alle sozialen Begriffe mit neuem, proletarischem Inhalt erfüllten, und es läßt sich daher nur auf der Grundlage der marxistischen Wissenschaft und der sozialistischen Praxis lösen. Neu ist freilich die gegenwärtige Sprachsituation. Die Weltanschauung von Marx wurde in der DDR herrschende Ideologie und Gemeingut des

Volkes; die neuen, sozialistischen Einrichtungen und Beziehungen der Menschen erfordern neue Bezeichnungen; Wortschatz und Wortbedeutungen entwickeln sich entsprechend. Die Sprachwissenschaft kann den marxistischen Bedeutungsgehalt des betreffenden Wortschatzes nicht mehr ignorieren.

Was sich unter unseren Augen vollzieht, ist ein tiefgreifender und umfangreicher Bedeutungswandel. Der Sprachwissenschaftler ist oft geneigt, den Bedeutungswandel eher in der Vergangenheit zu suchen, etwa beim Übergang vom Mittelhochdeutschen zum Neuhochdeutschen. Dieser Wandel entsprach dem Übergang der feudalen in die bürgerliche Gesellschaft. Die Ablösung der bürgerlichen Gesellschaft durch die sozialistische bringt einen noch einschneidenderen Bedeutungswandel mit sich. [. . .] Die Besonderheit des gegenwärtigen Bedeutungswandels besteht darin, daß neue und alte Bedeutung nebeneinander bestehen und Geltung beanspruchen, sich aber zugleich scharf voneinander unterscheiden. Und wir selbst befinden uns mitten in diesem Wandlungsprozeß. Wer sich von der Weltanschauung der untergehenden bürgerlichen Gesellschaft nicht zu lösen vermag, erblickt in ihm freilich nur Ungewohntes, Unbequemes und Schädliches. Dem verantwortungsbewußten Wissenschaftler aber obliegt die Aufgabe, nicht nur zu sehen, sondern auch zu erkennen, nicht zu moralisieren, sondern die Geburtswehen abkürzen zu helfen.

Die Einheit der deutschen Sprache auf diesem Gebiet kann deshalb nicht darin bestehen, den alten, einseitigen oder falschen, unzulänglich und oft unwahr gewordenen bürgerlichen Sinngehalt zu verteidigen oder unaufrichtig hinter ,Neuschöpfungen' zu verbergen, auch nicht darin, neue und alte Bedeutung zu vereinen, einander anzugleichen und als gleichberechtigt gelten zu lassen. Gerade in diesem von Ideologie erfüllten Bereich der Sprache ist das heutige Nebeneinander und Gegeneinander historisch ein Nacheinander, in dem nur das dem neuen Leben Angemessene eine Zukunft hat. Die Einheit der Sprache beruht auf der Einheit der Denkweise, diese auf der Einheit der Lebensweise; sie alle haben in unserer Zeit ihre Heimat in der sozialistischen Nation.

(JOACHIM HÖPPNER, in: Weimarer Beiträge (Berlin/DDR) 9, 1963, H. 4, S. 576–585. Ausschnitt: S. 576, 583–585)

6. Günter Kertzscher: Muß man Bundesdeutsch übersetzen?

Wir kennen die Formeln der Bonner Propaganda: „Wiedervereinigung durch Selbstbestimmung", „Selbstbestimmung für die Zone!" usw. Wie man auch in Bonn die Sache im einzelnen sich vorstellen mag, auf jeden Fall ist eine Aktion gemeint, durch der der Sozialismus in der DDR beseitigt werden soll. Selbstbestimmung ist nach Bonner Begriffen das Recht, unter kapitalistischen Verhältnissen zu leben. Gleichzeitig wird denen, die sich eine sozialistische Ordnung errichtet haben, das Recht bestritten, sozialistisch zu leben. Darum wird „Selbstbestimmung" immer nur für die Bürger der DDR und der anderen sozialistischen Länder gefordert.

Übersetzt man das Wort „Selbstbestimmung" Bonner Prägung in eine ehrliche Sprache, so lautet es „Konterrevolution". Die genannten Formeln der Bonner Politik heißen also, aus dem Bundesdeutschen ins Deutsche übersetzt: „Wiedervereinigung durch Konterrevolution", „Konterrevolution für die DDR". Jetzt sind die Begriffe demaskiert. Es wird niemand mehr getäuscht.

Obwohl man in beiden deutschen Staaten nach wie vor deutsch spricht und man sich im allgemeinen wenigstens sprachlich versteht, kommen wir doch bei gewissen politischen Wörtern ohne Übersetzung nicht aus. Diese Wörter werden in Texten der Bonner Propaganda als Dragees verabreicht: Außen ist Zucker, aber innen kann Gift sein.

In diese Kategorie gehört das Wort „Wiedervereinigung", so wie es von den Revanchisten verwendet wird. Wer sich ohne genauere Kenntnis die Bonner Reden arglos anhört, mag sich unter „Wiedervereinigung" die friedliche und freundliche Einigung zweier gleichberechtigter Partner vorstellen. Im Bundesdeutsch aber bedeutet „Wiedervereinigung" etwas ganz anderes als bei uns. Es müßte exakt übersetzt werden mit „Annexion der DDR durch die Bundesrepublik".

Ebenso sind Wörter wie „Freiheit", „Demokratie" in offiziellen Texten der Bonner Politik durch einen Hintersinn vergiftet. Wenn Lübke und Erhard uns die „Freiheit" bringen wollen, so meinen sie damit: Herrschaft des Monopolkapitals, Notstandsdiktatur.

(GÜNTER KERTZSCHER, in: Neues Deutschland. Organ des Zentralkomitees der SED, Berlin/DDR, 25. 7. 1965, S. 3)

7. Hans-Joachim Gernentz: Sprachlenkung in Ost und West

In beiden deutschen Staaten wird der Sprachgebrauch bewußt beeinflußt. Sprachlenkung mit dem Ziel der Beeinflussung der Sprechergemeinschaft ist etwas Uraltes. Schon für Demosthenes und Cicero war das Wort, die Rede eine Waffe im politischen Kampf, um Unentschlossene zu gewinnen und Zweifelnde zu überzeugen. Und nicht zuletzt durch Sprachlenkung haben die Mönche in der althochdeutschen Zeit die Deutschen christianisiert. Es kommt nur darauf an, ob die Sprache im Sinne des gesellschaftlichen Fortschritts gelenkt wird oder nicht. Entscheidend ist, ob der Einfluß auf die Sprache der Vermittlung und dem Aufschluß des Wissens über Natur und Gesellschaft dient, das am weitesten fortgeschritten ist und den historischen Tatsachen entspricht. Und das ist bei uns der Fall. [. . .]

Während wir uns offen zu dieser Sprachlenkung aus sozialistischer Parteilichkeit bekennen, wird die entgegengesetzte Sprachlenkung in Westdeutschland zwar nach außen hin geleugnet, in Wirklichkeit aber mit raffinierten psychologischen Mitteln betrieben. Das beginnt zunächst mit der geschickten Aufbereitung des gebräuchlichen Wortgutes zu stereotyp wiederholten Propagandaslogans, Klischees und festen, satzartigen Fügungen. [. . .] Dazu kommen dann so harmlos klingende Wörter wie „Sozialpartner" als Oberbegriff für „Arbeitgeber" und „Arbeitnehmer", wie „Mitteldeutschland" für DDR oder „Vorwärtsverteidigung" als Bezeichnung für die aggressiven Ziele der Bundeswehr, also Wörter, die die Wirklichkeit von den verschiedenen Seiten aus tarnen oder Unliebsames schmackhaft machen sollen. [. . .]

Diese vielfältige Verflechtung von Kapital und Meinung erkennen sicher nur wenige der westdeutschen Wissenschaftler und Publizisten, die uns den Vorwurf machen, wir bereiteten die Spaltung der deutschen Sprache vor, aber sie werden damit – bewußt oder unbewußt – zu Handlangern des „kalten Krieges". Für uns als Germanisten der DDR gibt es [. . .] keinen Zweifel, daß das grammatische System und der Grundwortschatz des Deutschen einheitlich sind und daß es viele gemeinsame sprachliche Entwicklungstendenzen im ganzen deutschen Sprachgebiet gibt. Aber wir wissen auch, daß die in zweierlei Richtung veränderte deutsche Wirklichkeit zu einer Differenzierung im Sprachgebrauch in den beiden deutschen Staaten geführt hat, ja führen mußte. Es ist daher nicht nur unsere Aufgabe, die wahren Hintergründe der zahlreichen westdeutschen Arbeiten über die sogenannte Sprachspaltung durch das „SED-Regime" aufzudecken. Wir müssen vielmehr auch analysierend bis an die Wurzeln der Differenzierungen im Sprachgebrauch in beiden deutschen Staaten vordringen und besonders die Wirkung der westdeutschen Sprachlenkung untersuchen.

(HANS-JOACHIM GERNENTZ, Zum Problem der Differenzierung der deutschen Sprache in beiden deutschen Staaten. In: Weimarer Beiträge (Berlin/DDR) 13, 1967, H. 3, S. 463–468. Ausschnitt: S. 467–468)

8. Willi Steinberg: Der geteilte Duden

Ein Vergleich des vor wenigen Wochen in der DDR erschienenen Großen Dudens [. . .] mit dem in Mannheim erschienenen westdeutschen Duden läßt uns ganz eindeutig die tiefe Kluft bewußt werden, die auch in sprachlicher Hinsicht zwischen unserer, der sozialistischen Gesellschaftsordnung in der DDR, und den reaktionären Verhältnissen in Westdeutschland herrscht. [. . .]
Unser Duden führt alle Wörter, die das Heldentum der Arbeit und die Taten unserer Menschen für Frieden und Fortschritt widerspiegeln. Wörter wie Aktivist, Arbeiterstudent und viele andere. Wir werden diese Wörter nie wieder aus unserem Vokabular streichen. Wir überlassen es dem Mannheimer Duden, Wörter wie Armenhaus, Arbeitgeber, Armenrecht und auslandsdeutsch weiterzuführen. Diese Wörter zeigen, daß die westdeutsche Gesellschaftsordnung um eine ganze Formation hinter uns zurückgeblieben ist, denn Armenhäuser sind auch eine zwangsläufige Erscheinung im kapitalistischen Westdeutschland. Bei uns jedoch sind Wort und Sache längst überwunden. [. . .]
Die gesellschaftliche Entwicklung in der DDR und in Westdeutschland ist so unterschiedlich verlaufen, daß es heute nicht mehr möglich ist, länger von *einer* deutschen Nationalsprache zu sprechen. Der Vergleich der beiden deutschen Duden-Ausgaben ergibt überall Verschiedenheiten, besonders im Begrifflich-Ideologischen, was die Zahl der Stichwörter als auch die Wortbedeutungen und grammatischen Formen angeht. [. . .] Die gesellschaftlichen Unterschiede spiegeln sich in diesem nicht mehr zu überbrückenden Unterschied auf dem Gebiet der Sprache wider.
Es kann daher nicht darum gehen, die Einheitlichkeit des deutschen Wortschatzes früherer Zeit und Prägung wiederherstellen zu wollen, wie dies offenbar manchem „Romantiker" vorschwebt. Das hieße das Rad der Geschichte zurückdrehen. Wir werden einen einheitlichen deutschen Wortschatz erst dann wieder

haben, wenn Westdeutschland sich auf den Weg des Völkerfriedens und des gesellschaftlichen Fortschritts begibt, den die DDR seit über zwei Jahrzehnten beschreitet. Dann wird es nicht mehr zwei Duden, sondern nur noch den Leipziger, unseren Duden mit seinem humanistischen, dann für ganz Deutschland gültigen sozialistischen Wortschatz geben.

(WILLI STEINBERG, in: Freiheit. Organ der Bezirksleitung Halle der SED, 12. 5. 1967, S. 10)

9. Otto Kade, Günter Gossing: Ein Deutsch – zwei Übersetzungen?

Durch den Nachweis, daß Übersetzungen zunächst einmal Texte einer bestimmten Zielsprache sind, gelangen wir bereits zu der Erkenntnis, daß deutsche Übersetzungen ebenso wie andere in Westdeutschland und in der DDR entstandene Texte Unterschiede aufweisen müssen, die durch die unterschiedlichen gesellschaftlichen Verhältnisse bedingt sind, was im übrigen empirisch hinlänglich erwiesen ist.

In der Übersetzung finden somit wie in anderen Texten auch gesellschaftlich motivierte Unterschiede zwischen dem Sprachgebrauch in Westdeutschland und in der DDR ihren Niederschlag. Es kommen sogar spezifische, aus dem Wesen der Translation resultierende Faktoren hinzu, die geradezu unterschiedliche Fassungen einer deutschsprachigen Übersetzung in Abhängigkeit davon verlangen, ob diese Übersetzung in Westdeutschland oder in der DDR verwendet werden soll. [. . .]

Zwei Übersetzungen sind in der Tat die Regel, zumal wenn es sich um Texte politisch-ökonomischen oder gesellschaftswissenschaftlichen Inhalts handelt, weil erstens dieses eine Deutsch in wichtigen Bereichen der Lexik immerhin erhebliche Differenzierungen aufweist und weil zweitens die Kommunikation mit diesem einen Deutsch in der DDR einen ganz anderen sozial-ökonomischen Hintergrund hat als in Westdeutschland.

Daraus ergeben sich einige wesentliche Schlußfolgerungen für die sprachmittlerische Praxis:

Mit Sicherheit richtig, d. h. originalgetreu, übersetzen und dolmetschen kann nur der, der in der Lage ist, den gesellschaftlichen Hintergrund der Kommunikation wissenschaftlich, d. h. mit der historischen Wahrheit in Übereinstimmung befindlich, einzuschätzen. Die beste Gewähr dafür ist eine marxistisch-leninistische Wertung aller in der Kommunikation wirkenden Faktoren. Deshalb fordern wir vom Übersetzer und Dolmetscher Parteilichkeit, d. h. Parteiergreifen für den historischen Fortschritt, für die Arbeiterklasse und ihre wissenschaftliche Ideologie. Auch auf dem Gebiet der Translation erweist es sich erneut: Parteilichkeit ist gleich Objektivität und in unserem speziellen Falle Wahrung der Originaltreue. Dort, wo der parteiliche (sprich: wissenschaftliche) Standpunkt fehlt, wird parteiisch übersetzt und die Originaltreue verletzt.

(OTTO KADE, GÜNTER GOSSING, in: Wissenschaftliche Zeitschrift der Karl-Marx-Universität Leipzig. Gesellschafts- und sprachwissenschaftliche Reihe 17, 1968, H. 2/3, S. 185–188. Ausschnitt: S. 186, 188)

10. Walter Ulbricht: Sprachgemeinsamkeit in Auflösung

Sogar die einstige Gemeinsamkeit der Sprache ist in Auflösung begriffen. Zwischen der traditionellen deutschen Sprache Goethes, Schillers, Lessings, Marx' und Engels', die von Humanismus erfüllt ist, und der vom Imperialismus verseuchten und von den kapitalistischen Monopolverlagen manipulierten Sprache in manchen Kreisen der westdeutschen Bundesrepublik besteht eine große Differenz. Sogar gleiche Worte haben oftmals nicht mehr die gleiche Bedeutung. Wenn wir zum Beispiel von Gleichberechtigung und Nichtdiskriminierung sprechen, dann meinen wir eben echte Gleichberechtigung und Nichtdiskriminierung. Wenn jedoch manche politische Führer in Bonn von Gleichberechtigung sprechen, dann verstehen sie darunter Unterwerfung der DDR. Und wenn sie Nichtdiskriminierung predigen, dann meinen sie Verewigung der Diskriminierung der DDR und ihrer Bürger. Vor allem aber müssen wir feststellen: Die Sprache der Hitlergenerale, der Neonazis und Revanchepolitiker gehört nicht zu unserer deutschen Sprache, zur Sprache der friedliebenden Bürger der Deutschen Demokratischen Republik, die wir lieben, schätzen und weiterentwickeln.

(WALTER ULBRICHT, Schlußwort auf der 13. Tagung des Zentralkomitees der SED. In: Neues Deutschland, 16. 6. 1970, S. 4)

11. Wilhelm Bondzio: Ausgliederung aus dem ‚abendländischen' Sprachzusammenhang

Die zahlreichen Bedeutungsveränderungen und Neubildungen gerade im politisch-ideologischen Wortschatz sind keine Sonderentwicklung im Sinne einer sprachlichen Randerscheinung, sondern müssen in den Zusammenhang mit den entsprechenden Wortschatzbereichen der anderen sozialistischen Länder gestellt werden. Die erwähnten Veränderungen gehen nicht ohne eine gegenseitige Beeinflussung vor sich; sie manifestiert sich für uns sehr deutlich in den zahlreichen Bedeutungsentlehnungen aus dem Russischen, ein natürlicher Vorgang, der sich durch die Vorbildwirkung des sozialistischen Modells in der UdSSR erklärt. Dem Hineinwachsen der DDR in die sozialistische Staatengemeinschaft entspricht also eine semantische Integration des politisch-ideologischen Wortschatzes und damit ein lexikalisch-semantischer Ausgleich, denn zweifellos lassen sich Parallelentwicklungen auch in den anderen sozialistischen Ländern beobachten. Die entscheidende Basis dafür bildet die gemeinsame marxistisch-leninistische Ideologie. Umgekehrt bedeutet das: Ein entscheidender Teil des Wortschatzes der DDR unterscheidet sich im Hinblick auf seinen Inhalt nicht nur vom Wortschatz der westdeutschen Bundesrepublik, sondern er hat sich aus dem sogenannten abendländischen Sprachzusammenhang ausgegliedert. Dem entspricht zwangsläufig auch die Immunität dieses Wortschatzbereichs gegenüber der Beeinflussung durch die in Westdeutschland verbreiteten Amerikanismen. – Selbstverständlich kann dieser Befund nicht willkürlich auf andere Teile des Wortschatzes, insbesondere nicht einfach auf verschiedene Wissenschaftsterminologien der naturwissenschaftlichen und technischen Wissenschaften übertragen werden, wo offenbar die

Tendenz zu einem allgemeineren internationalen terminologischen Ausgleich zu beobachten ist.

(WILHELM BONDZIO, Zur deutschen Gegenwartssprache in der DDR. In: Zeitschrift für Phonetik, Sprachwissenschaft und Kommunikationsforschung (Berlin/DDR) 24, 1971, H. 3/4, S. 220–223. Ausschnitt: S. 222–223)

12. Wilhelm Schmidt: Keine deutsche Nationalsprache mehr

Die unmittelbare Gegenwart [. . .] ist dadurch gekennzeichnet, daß sich die bürgerliche deutsche Nation in Auflösung befindet. Auf dem Gebiet der DDR, des sozialistischen deutschen Staates, entwickelt sich die sozialistische deutsche Nation, und in der BRD bestehen die Reste der bürgerlichen deutschen Nation fort. Die konsequente Abgrenzung der Entwicklung in ökonomischer, politischer und kultureller Hinsicht äußert sich in deutlichen Differenzierungserscheinungen zwischen der deutschen Sprache der Gegenwart in der DDR und in der BRD. Die sprachliche Differenzierung erfolgt aber auch in der BRD selbst zwischen dem bewußten Teil der Arbeiterklasse und progressiven Angehörigen anderer Klassen und Schichten einerseits und den konservativ-reaktionären Teilen der Bevölkerung andererseits. Und so ist der wissenschaftlichen Forschung und Diskussion der Fragenkomplex: Tiefe, Umfang und gesellschaftliche Relevanz der Differenzierungserscheinungen in der deutschen Sprache der Gegenwart als Thema aufgegeben. Stand und Tendenz der Entwicklung sprechen offensichtlich dafür, daß der Terminus „deutsche Nationalsprache", der auf die innerhalb eines einheitlichen Staatsverbandes gebrauchte Gemeinsprache in der Zeit der bürgerlichen deutschen Nation zugeschnitten ist, dem gegenwärtigen Sprachzustand nicht mehr entspricht.

(WILHELM SCHMIDT, Thesen zum Thema „Sprache und Nation". In: Zeitschrift für Phonetik, Sprachwissenschaft und Kommunikationsforschung (Berlin/DDR) 25, 1972, H. 4/5, S. 448–450. Ausschnitt: S. 450)

13. Erich Honecker: Gemeinsame Sprache – gemeinsame Nation?

Die Deutsche Demokratische Republik ist sozialistisch; in ihr ist das Privateigentum an den Produktionsmitteln abgeschafft. Die Bundesrepublik Deutschland ist kapitalistisch; in ihr dominiert das Privateigentum an Produktionsmitteln und gibt es nach wie vor die Ausbeutung des Menschen durch den Menschen. [. . .]
   Gemeinsamkeiten in der Sprache können diese Realitäten nicht hinwegzaubern. Abgesehen davon, daß solche Gemeinsamkeiten noch lange nicht identisch sind mit einem gemeinsamen Staatswesen, mit einer gemeinsamen Nation. Davon zeugt nicht nur das Beispiel Großbritanniens, Australiens und der USA, wo bekanntlich Englisch die Muttersprache ist, sondern auch Österreichs, wo Deutsch als Muttersprache genauso selbstverständlich ist wie in der Bundesrepublik Deutschland und der Deutschen Demokratischen Republik.

(ERICH HONECKER, Zügig voran bei der weiteren Verwirklichung der Beschlüsse des VIII. Parteitages der SED. Bericht des Politbüros an die 9. Tagung des Zentralkomitees der SED. In: Neues Deutschland, 29. 5. 1973, S. 5–7. Ausschnitt: S. 4)

14. R. Bock, H. Harnisch u. a.: Zur deutschen Gegenwartssprache in der DDR und in der BRD

Selbstverständlich haben Grammatik und große Teile des allgemeinen Wortschatzes der deutschen Sprache in der DDR und in der BRD keine wesentlich voneinander abweichende Entwicklung genommen, gelten die grammatischen Regularitäten und die Wortbildungsregeln für die beiden deutschen Staaten und ist für die Grammatik sowie für den allgemeinen Teil des Wortschatzes die Bezeichnung „deutsche Sprache" zutreffend. Dennoch zeichnen sich Differenzierungsvorgänge ab zwischen dem Deutsch in der DDR und dem Deutsch in der BRD. [...] Diese Differenzierungen betreffen vor allem die ideologierelevanten Teile des Wortschatzes. Unterschiedlich ist auch die Entlehnungsintensität aus der russischen bzw. aus der englischen Sprache in der DDR und in der BRD. Die Festlegung der Aussprecheregeln in den repräsentativen Aussprachewörterbüchern der DDR und der BRD erfolgt nicht auf völlig gleicher Grundlage. Die Stilnormen in der DDR und in der BRD weichen wesentlich voneinander ab. [...] Aus den angeführten Gründen sollte nicht mehr schlechthin von *der* deutschen Gegenwartssprache gesprochen werden. Keinesfalls trifft es zu, wenn in der BRD behauptet wird, die „einheitliche" deutsche Sprache sei *die* „Klammer der deutschen Nation". Das widerspricht der Erkenntnis vom Zusammenhang zwischen gesellschaftlicher und sprachlicher Entwicklung. Die Veränderung der gesellschaftlichen Verhältnisse, der Produktivkräfte und der Produktionsverhältnisse, führt zu neuen Kommunikationsbedürfnissen, und diese erfordern wiederum – zumindest zum Teil – neue Kommunikationsweisen und Kommunikationsformen. Der Widerspruch zwischen dem vorhandenen System der Sprache und den Möglichkeiten seiner Verwendung und den gesellschaftlichen Anforderungen ist eine Haupttriebkraft der sprachlichen Entwicklung.

Veränderungen in der objektiven Realität müssen – sofern sie den Menschen bewußt werden – ihren unmittelbaren Niederschlag in der Sprache finden, und zwar im Wortschatz. In der Grammatik beeinflussen neue Kommunikationsweisen die Frequenz der grammatischen Elemente – und damit die Norm –, wodurch über längere Zeiträume hin auch Strukturveränderungen bewirkt werden können. Zu diesen objektiv bedingten Differenzierungserscheinungen kommen die zahlreichen Versuche imperialistischer Ideologen, mit Hilfe der Sprache die Realität zu verschleiern, um die Menschen entsprechend zu beeinflussen; das führt zu zahlreichen weiteren semantischen Differenzierungen im Bereich der Lexik.

Doch muß andererseits beachtet werden, daß die Sprache ein relativ stabiles System darstellt, bei dessen Entwicklung es keine Sprünge gibt. In besonderem Maße gilt das für das Phoneminventar, die Morphologie und die Syntax. Diese Stabilität ist ja auch die Voraussetzung dafür, daß die Sprache trotz ständiger Veränderungen stets funktionstüchtig bleibt. Daher wäre es trotz der Differenzierungserscheinungen unangemessen, von zwei deutschen Sprachen zu sprechen. [...] Man kann vier Varianten der deutschen Gegenwartssprache unterscheiden. Dabei sind selbstverständlich die Unterschiede, die die Verwendungsweise und den ideologiegebundenen Wortschatz betreffen, zwischen dem Deutsch in der DDR und dem in der BRD größer als die zwischen dem Deutsch in der Schweiz bzw. in Österreich und dem in der BRD. Die Herausbildung einer sozialistischen deutschen Nationalsprache kann nur das Ergebnis eines langen Prozesses sein.

Man sollte also zur Bezeichnung „deutsche Gegenwartssprache" in der Regel den Kommunikationsraum, in dem diese oder jene Ausprägung verwendet wird, hinzusetzen. Die Bezeichnungen „deutsche Gegenwartssprache in der DDR" und „deutsche Gegenwartssprache in der BRD" weisen sowohl auf die Unterschiede als auch auf die Gemeinsamkeiten hin.

(R. BOCK, H. HARNISCH u. a., in: Zeitschrift für Phonetik, Sprachwissenschaft und Kommunikationsforschung (Berlin/DDR) 26, 1973, H. 5, S. 511–532. Ausschnitt: S. 530–532)

15. Werner Kirchgässner: Die deutsche Sprache als wertvolles Kulturgut der sozialistischen deutschen Nation

Was den Sprachwandel im Deutschen in der Wechselwirkung mit der sozialistischen Kultur angeht, so zeichnen sich diese Veränderungen selbstverständlich im Wortschatz, etwa in Gestalt von Neologismen (z. B. *Kollektivvertrag, Gruppenausscheid, Hausgemeinschaft*), am deutlichsten ab. Dieser ideologiegebundene Wortschatz ist es auch, der uns in sprachlicher Hinsicht von den Bürgern der BRD abgrenzt. Da jedoch diese Erscheinungen in der Lexik keine *wesentlichen* Merkmale des Zeichensystems unserer Sprache betreffen, so können wir diese Abwandlungen in bestimmten Elementen noch nicht als Ausdruck zweier verschiedener „Sprachen" auf deutschem Boden annehmen. Das besagt aber nicht, daß sich in unsrer Republik gegenwärtig nicht Sprachtendenzen abzeichnen, die zu weiteren sprachlichen Abgrenzungen führen werden, weil sich in ihnen Wesensmerkmale des sozialistischen Menschen auf stilistischem Gebiet widerspiegeln. So sind die Sprachleistungen der sozialistischen Persönlichkeit jeder Manieriertheit abhold, da das wachsende Kollektivbewußtsein gebietet, sich einer einfachen, präzisen und wirkungsvollen Ausdrucksweise zu bedienen. Nicht von ungefähr kommt es bei uns zu einer Annäherung zwischen der Umgangssprache und der Literatursprache, was sich bei wachsender Sprachkultur für beide Stilformen nur vorteilhaft auswirken kann. Weiterhin werden in den Sprachleistungen unsrer Werktätigen unpersönliche Formulierungen (unnötige Passivkonstruktionen, Anhäufung unpersönlicher Pronomen u. dgl.) vermutlich zurückgehen; sind doch solche Sprachmittel oftmals Ausdruck für ideologisch bedingte Zurückhaltung im gesellschaftlichen Leben. [. . .]

Die Aufgabe vornehmlich der deutschen Arbeiterklasse ist es, wertvolle Sprachtendenzen zu fördern und die deutsche Sprache als wertvolles Kulturgut der sozialistischen deutschen Nation schöpferisch weiterzuentwickeln. Nur die Arbeiterklasse ist hierzu imstande, ist sie doch die einzige rechtmäßige Erbin deutscher Kultur: [. . .] sie schützt unsre Muttersprache vor dem verderblichen Einfluß der „heuchlerischen" Sprache (F. Engels) der Bourgeoisie und wird dieses wichtigste Kommunikationsmittel den Mitteilungs- und Ausdrucksbedürfnissen des neuen, sozialistischen Menschen entsprechend schöpferisch gestalten.

(WERNER KIRCHGÄSSNER, Der Einfluß der Nationalkultur auf den Sprachwandel. In: Sprachpflege (Leipzig) 22, 1973, H. 5, S. 97–99. Ausschnitt: S. 98–99)

16. Günter Feudel: Über die Arbeit des Zentralinstituts für Sprachwissenschaft der Akademie der Wissenschaften der DDR

Sollte man die Entwicklung des Zentralinstituts für Sprachwissenschaft seit seiner Gründung im Jahre 1969 in einem Satz charakterisieren, so darf man wohl mit Fug und Recht sagen, daß sie durch eine ganz entschiedene *Hinwendung aller Forschungsarbeiten auf die praktischen Bedürfnisse unserer sozialistischen Gesellschaft* gekennzeichnet ist. [. . .]

Absoluten Vorrang hat dabei die Mitarbeit an der Lösung der Aufgabe, die im Zentralen Forschungsplan der DDR-Linguistik insgesamt gestellt wurde: *Grundfragen der marxistisch-leninistischen Sprachtheorie zu bearbeiten und insbesondere Untersuchungen zur sprachlichen Kommunikation in der sozialistischen Gesellschaft durchzuführen.* [. . .]

Bei der Auswertung des Beschlusses des Politbüros des ZK der SED über „Die Aufgaben der Agitation und Propaganda bei der weiteren Verwirklichung der Beschlüsse des VIII. Parteitages der SED" wurden im ZISW erhebliche Anstrengungen unternommen, die Öffentlichkeitswirksamkeit des Instituts entscheidend zu verstärken. Ein sich ständig erweiternder Kreis von Mitarbeitern übt an den Universitäten und an den verschiedensten Bildungseinrichtungen Vorlesungs- und Vortragstätigkeit aus und veröffentlicht in unseren Presseorganen [. . .] Beiträge zu grundsätzlichen und politisch aktuellen Fragen der Sprache und der sprachlichen Kommunikation. [. . .]

Abschließend noch einiges über unsere Vorstellungen zur künftigen Profilierung der Forschungsarbeiten im ZISW, die im Lauf der Diskussion um die Aufstellung des Forschungsplans 1976–1980 im einzelnen zu erörtern und zu präzisieren sind. [. . .] Die Untersuchung folgender Themenkomplexe erscheint uns vordringlich:

– Forschungen zu Problemen der Sprachkultur bis hin zur Einrichtung eines Zentrums für Sprachkultur am ZISW [. . .]

– Forschungen zur sprachlichen Kommunikation in der sozialistischen Gesellschaft, soziolinguistische Untersuchungen zur sprachlichen Kommunikation im sozialistischen Großbetrieb und zum gesprochenen Deutsch überhaupt [. . .]

– Untersuchungen zur Entwicklung der deutschen Sprache in der BRD und in der DDR, insbesondere zu den Divergenzen im Wortbestand und Wortgebrauch, sowie zur unterschiedlichen Stellung der Literatursprache im Gefüge der sprachlichen Existenzformen; Auseinandersetzung mit der imperialistischen Sprachmanipulation.

(GÜNTER FEUDEL, Zum 25. Jahrestag der Deutschen Demokratischen Republik. Versuch einer Bilanz der sprachwissenschaftlichen Forschungen am Zentralinstitut für Sprachwissenschaft der Akademie der Wissenschaften der DDR. In: Sprachpflege (Leipzig) 23, 1974, H. 10, S. 193–197. Ausschnitt: S. 193, 195–196)

17. Werner Neumann, Ruth Klappenbach: Konfrontation zweier Weltsysteme im Wörterbuch der deutschen Gegenwartssprache

Seit dem Erscheinen der ersten Lieferung des Wörterbuchs der deutschen Gegenwartssprache sind fast zehn Jahre vergangen; die konzeptionellen Vorarbeiten für das Werk reichen noch weiter zurück. In dieser Zeit haben sich die gesellschaftlichen Unterschiede zwischen den Staaten, in denen deutsch gesprochen wird, immer mehr verstärkt. Das gilt besonders für die DDR und die BRD. [...]

Infolge dieser gegensätzlichen gesellschaftlichen Entwicklung sind bedeutsame sprachliche Unterschiede zwischen der sozialistischen DDR und der staatsmonopolistischen BRD entstanden. Das in der sozialistischen Gesellschaft sich entwickelnde ökonomische System, die sozialistische Ideologie, Wissenschaft und Kultur geben der Sprache in der DDR ihr spezifisches Gepräge. Auf Grund der in zwei Jahrzehnten sozialistischen Aufbaus gefestigten moralisch-politischen Einheit der werktätigen Klassen und Schichten wird der aus der Lehre von Marx und Engels hervorgegangene und sich mit den neuen objektiven Verhältnissen weiter entwickelnde gesellschaftlich-politische Wortschatz mehr und mehr zum festen Besitz des Staatsvolkes der DDR. In der BRD dagegen wird der überkommene, aus dem System der Einrichtungen, Bezeichnungen und Anschauungen der bürgerlichen Gesellschaft hervorgegangene Wortschatz beibehalten und den neu auftretenden Erscheinungen entsprechend erweitert; zugleich mißbraucht die Monopolbourgeoisie die Sprache zunehmend für den Versuch, die öffentliche Meinung mit Hilfe der ihr zur Verfügung stehenden Massenkommunikationsmittel zu manipulieren.

Für den Lexikographen werden die sprachlichen Divergenzen zwischen der DDR und der BRD vor allem in der Veränderung der Bedeutungen, im Aufkommen neuer Wörter und im Zurückgehen alter Bildungen faßbar. [...]

In den sprachlichen Unterschieden zwischen der DDR und der BRD [...] manifestiert sich die ökonomische, politische, insbesondere aber die ideologische Konfrontation zweier Weltsysteme. Das Wörterbuch der deutschen Gegenwartssprache wird das erste semantische Wörterbuch sein, das dieser Konfrontation auf linguistischem Gebiet Rechnung trägt. Es wird vom 4. Band an den gesamten Wortschatz konsequent auf der Grundlage der marxistisch-leninistischen Weltanschauung darstellen. Das gilt für die Auswahl der Stichwörter, für die Bedeutungsangaben, die kommentierenden Bemerkungen und auch für die Auswahl der Beispiele. Das Wörterbuch läßt dadurch vor allem diejenigen gesellschaftspolitisch relevanten Sprachwandlungen, die sich in der DDR vollzogen haben, deutlich hervortreten.

Mit seinen lexikographischen Mitteln will es zur Festigung des sozialistischen Bewußtseins der Menschen in der DDR beitragen, aber auch den fortschrittlichen Kräften in anderen Ländern helfen, die Sprache des sozialistischen Staates deutscher Nation besser zu verstehen und den Versuchen des Sprachmißbrauchs durch die Monopolbourgeoisie entgegenzuwirken.

(WERNER NEUMANN, RUTH KLAPPENBACH, Vorbemerkung zum 4. Band des Wörterbuchs der deutschen Gegenwartssprache. Berlin/DDR: Akademie-Verlag 1974, S. I–II)

18. Siegbert Kahn: Der sozialistische Patriotismus erfordert die Pflege der nationalen Sprache

Es ist nicht zu bezweifeln, daß die Sprache eines der Merkmale der Nation und natürlich auch der sozialistischen Nation ist. Und in den vergangenen 25 Jahren ist eine bedeutende Differenzierung der Sprache in der DDR und der in der BRD eingetreten, auf die F. C. Weiskopf* schon 1955 hinwies. Der sozialistische Patriotismus, der Stolz auf unser nationales Erbe und auf die eigenen Leistungen erfordert die sorgfältige Förderung und Pflege der nationalen Sprache. Wir wenden uns mit vollem Recht gegen „besondere Beziehungen" mit der imperialistischen BRD, mit denen nur der Zweck verfolgt wird, sich in unsere Angelegenheiten einzumischen und uns schließlich zu schlucken. Wir sollten uns daher auch bewußter und nachdrücklicher gegen das Eindringen von Sprachunarten, Modewörtern und Amerikanismen aus dem „Sprachschatz" der BRD zur Wehr setzen. [. . .]

Wir schützen unsere Grenzen vor Eindringlingen und unsere Wirtschaft vor Schädlingen. Warum schützen wir unsere Sprache nicht vor dem Eindringen feindlicher Gedankengänge?

Das beginnt schon bei scheinbaren Kleinigkeiten. In einem Leserbrief der „Wochenpost" wurde kürzlich mit Recht kritisiert, daß unsere kosmetischen Erzeugnisse mit Vorliebe englische Namen erhalten. „Skin", „For Men", „Pre Shave", „After Shave", „Hair Lotion", „Spray", man könnte das beliebig fortsetzen. Der VEB Chemiehandel bietet Bereifungen an, natürlich „tubeless". In Funk und Fernsehen gibt es „Live"-Sendungen, [. . .] „Features" und selbstverständlich eine „Show". [. . .]

Schallplatten werden als „Singles" angeboten, und „Stars" haben ihre „Fans". Auch bei uns schäumt die „Nostalgie"-Welle, und wer nicht ein bißchen „frustriert" ist, kann überhaupt nicht mitreden. Man wird allem möglichen „konfrontiert", und wenn sich nicht hin und wieder etwas „eskaliert", ist man nicht „up to date".

Um Mißverständnissen vorzubeugen: Es handelt sich weder um Purismus, um die grundsätzliche Ausmerzung aller Fremdwörter, noch um Deutschtümelei. [. . .] Es geht vielmehr im Sinne von F. C. Weiskopf um die „Verteidigung der deutschen Sprache". Wir verzichten nicht auf die deutsche Sprache in ihrer Schönheit und ihrem Reichtum. [. . .]

Mir scheint es an der Zeit, einen Schritt über Weiskopf hinauszugehen und von der Verteidigung der deutschen Sprache zum Angriff auf ihre Verderber überzugehen. Dieser Angriff ist nicht eine Sache der Germanisten. Sie geht die Journalisten, die Schriftsteller und Lehrer, sie geht im Grunde alle an, die sich der deutschen Sprache bedienen. Es handelt sich um eine hochpolitische Sache: Die sozialistische Nation kämpft um ihre unverfälschte Nationalsprache, sie grenzt sich offensiv von der mit Amerikanismen und Anglizismen durchsetzten Sprache ab, die in der imperialistischen BRD gesprochen und geschrieben wird.

(SIEGBERT KAHN, Nation und Sprache. In: Die Weltbühne. Wochenschrift für Politik, Kunst, Wirtschaft (Berlin/DDR), 31. 12. 1974, S. 1665–1668. Ausschnitt: S. 1666–1668)

* Vgl. I. 3., S. 15 f.

19. Gotthard Lerchner: Die deutsche Sprache und das „wirkliche Leben".
Nationalsprachliche Varianten*

Das Ost und West umschlingende, einigende Band der deutschen Sprache ist ein wichtiger Beweis für die Fortexistenz der deutschen Kulturnation, der gegenüber die Kleinigkeiten staatlicher, ideologischer und sozialer Gegensätze zurücktreten. So oder ähnlich ist es mehrfach – und zwar keineswegs nur von der schwarzbraunen Opposition – von der Tribüne des Bonner Bundestages und anderswo offiziell verkündet worden. Nicht ohne Staunen vernimmt's der aufmerksame Zeitgenosse, denn runde zehn Jahre früher war aus der gleichen Himmelsrichtung das genaue Gegenteil, mit einem erheblichen Aufwand an sprachwissenschaftlicher Kapazität, Druckerschwärze und bösem Willen übrigens, herübergetönt. Reißerische Titel gab es da wie etwa „Tausend Worte Sowjetdeutsch", „Deutsch – gefrorene Sprache in einem gefrorenen Land", sogar ein „Wörterbuch des kommunistischen Jargons", daneben mehr auf Sachlichkeit bedachte wie „Der zweigeteilte Duden", „Zwei Sprachen(!) in Deutschland", „Die Sprache des sozialistischen Realismus" und viele andere mehr. Ihre Einschätzung der sprachlichen Situation schwankte zwar etwas, z. B. zwischen der vorsichtigen Feststellung einer „Gefährdung" der sprachlichen Einheit des Deutschen[1], nachdrücklich artikuliertem Zweifel daran, „ob wir überhaupt noch *eine* deutsche Sprache sprechen"[2], und der rigorosen Behauptung, die „uniformierende Gewalt der Parteisprache" habe nahezu alle Bereiche des Deutschen in der DDR erfaßt, das seine „Seele" zu verlieren im Begriff sei.[3] Aber ungeachtet aller Vielstimmigkeit und aller Nuancierungen im einzelnen stand offenbar, das verdient Hervorhebung, vor einem guten Dutzend Jahren für Fachleute und dilettierende Laienlinguisten in der BRD grundsätzlich fest, daß die deutsche Sprache keineswegs von den politischen und gesellschaftlichen Veränderungen der Nachkriegszeit unberührt geblieben war, sondern mehr oder weniger deutliche Anzeichen einer Aufspaltung zeigen sollte. Heute lassen sich die Autoren dieser Schriften im allgemeinen gar nicht mehr gern auf ihre einstigen Publikationen ansprechen. Keine Rede ist mehr weit und breit von deutscher Zweisprachigkeit und gesellschaftlich-staatlichen Sonderentwicklungen, von „Sprachspaltung" und „Sowjetdeutsch", sondern eben Beschwörung der Einigungsfunktion der deutschen Sprache. Wie gesagt, dies mehr als ein Jahrzehnt danach, und obwohl die ökonomischen, gesellschaftlichen, politischen und kulturellen Entwicklungen in der DDR und in der BRD in der Zwischenzeit ganz gewiß nicht aufeinander zu verlaufen sind. Wer Sinn für unfreiwillige Komik hat, mag sich an der Vorstellung erheitern, wie die erwähnten antikommunistischen Eiferer von vor zehn Jahren trotz aller bösen Worte gegen die DDR (oder wie immer man uns damals noch so nannte) doch offensichtlich deren Geschäfte

---

* Auf Verlangen des Autors erscheint dieser Beitrag in ungekürzter Form.
[1] Das Aueler Protokoll. Deutsche Sprache im Spannungsfeld zwischen West und Ost (= Die Sprache im geteilten Deutschland, hrsg. v. *H. Moser*, Bd. I). Düsseldorf 1964, Vorwort des Hrsg., S. 10
[2] *H. Scholz*, Einige Beobachtungen zur deutschen Umgangssprache jenseits des Eisernen Vorhangs. In: Das Aueler Protokoll, S. 92
[3] *H. Maeder*, Sprache und Totalitarismus. In: Das Aueler Protokoll, S. 21f.

besorgten, wenn man das alles für bare Münze nimmt. Es ist aber zuzugeben, daß der Sinn für Komik angesichts von so viel trüber Manipulation arg strapaziert wird und leicht abhanden kommen kann. Wie auch immer, deutlich tritt jedenfalls in Erscheinung, daß die deutsche Sprache, eines der ,heiligsten Güter der Nation', hier ganz skrupellos wechselnden politischen Strategien in wechselnden, direkt widersprüchlichen Aussageabsichten integriert wurde. Der Übergang von der Konfrontation sprachlicher Unterschiede zu deren Negation stellt sich dar als eine spezifische Variante der veränderten Strategie des Imperialismus, nach dem Scheitern der Politik des kalten Krieges die internationale Klassenauseinandersetzung mit dem Sozialismus stärker auf ideologisches Gebiet zu verlagern. Wir haben es also zu tun mit einem besonders überzeugenden Beispiel für die Objektivität und Unabhängigkeit einer per definitionem unpolitischen Wissenschaft.

Zum Verhältnis von Sprache und Nation

Wichtiger freilich ist für uns die Frage nach dem tatsächlichen Sachverhalt. Wie verhält es sich eigentlich mit der deutschen Sprache in ihrem heutigen Verbreitungsgebiet als landessprachlichem Kommunikationsmittel in sechs souveränen Staaten – und das heißt verallgemeinert: mit dem Verhältnis von Sprache und Nation?

Mit Spekulationen und Wunschdenken ist der Frage offenbar nicht beizukommen. „Das Problem, aus der Welt der Gedanken in die wirkliche Welt herabzusteigen, verwandelt sich in das Problem, aus der Sprache ins Leben herabzusteigen. . . . Die Philosophen hätten ihre Sprache nur in die gewöhnliche Sprache, aus der sie abstrahiert ist, aufzulösen, um sie als die verdrehte Sprache der wirklichen Welt zu erkennen und einzusehen, daß weder die Gedanken noch die Sprache für sich ein eignes Reich bilden; daß sie nur *Äußerungen* des wirklichen Lebens sind."[4]

Zunächst: Das Schlagwort vom ,einigenden Band der deutschen Sprache' hat, darin zeigt sich durchaus psychologisches Geschick, sehr viel (oberflächliche) Evidenz für sich. Es gehört zur allgemeinen Alltagserfahrung, daß zwischen den Bürgern der DDR und der BRD eine nahezu mühelos einsetzbare sprachliche Kommunikationsfähigkeit besteht. Von zwei verschiedenen Sprachen sprechen zu wollen steht mithin im Widerspruch zu jeder empirischen Erkenntnis. Aber: Verschwiegen wird dabei der tatsächliche gesellschaftliche *Stellenwert* der ohne Zweifel vorhandenen sprachlichen Übereinstimmungen, der dem Laien nicht ohne weiteres und von vornherein einsichtig wird, der aber für die Beurteilung entscheidend ist. Gewiß lehren wir unsere Kinder in der Schule, vermitteln wir im Deutschunterricht für Ausländer, gebrauchen wir in gedruckten und gesprochenen offiziellen Äußerungen eine Sprache, die in ihrem Laut- und Formenbestand, den Regeln ihres Satzbaus und im weitaus größten Teil ihres Wortschatzes keinerlei die Verständigung beeinträchtigende Abweichungen erkennen läßt von der Sprache, die im gleichen Anwendungsbereich in der BRD und natürlich auch in Österreich, Luxemburg, Liechtenstein und der deutschsprachigen Schweiz zu beobachten ist. Diese aber für *die* deutsche Sprache schlechthin anzusehen, bedeu-

---

[4] *K. Marx, F. Engels,* Deutsche Ideologie. In MEW Bd. 3. Berlin 1962, S. 432f.

tet eine grobe Vereinfachung. Das ‚wirkliche Leben' erweist sich als wesentlich bunter und vielfältiger.

Erscheinungsformen

Eine Nationalsprache besteht nach allgemeiner, übrigens auch in der BRD weit verbreiteter linguistischer Einsicht aus einem *Gefüge* sehr verschiedenartiger Erscheinungsformen heterogener Determinationen, unter denen die sozialen und territorialen die bedeutendsten darstellen. Sprache wird also von den primären Merkmalen einer Nation bestimmt und bestimmt nicht umgekehrt ihrerseits die Existenz einer Nation. Wir brauchen nur bei Reisen quer und längs durch unsere Republik, bei Gesprächen mit Angehörigen verschiedener Berufsgruppen, beim Nebeneinander ungezwungener Äußerungen von Jugendlichen und älteren Menschen, ja selbst bei unserer eigenen Sprechtätigkeit in den verschiedenen Lebenssituationen die Ohren offenzuhalten, um zu bemerken, daß da doch recht Verschiedenartiges unter der Sammelbezeichnung deutsche Sprache zusammengefaßt erscheint. Auf der Grundlage dieser Erkenntnis wird auch ohne weiteres einleuchten, daß mindestens die sozial bestimmten Erscheinungsformen der deutschen Sprache in der DDR gegenüber der BRD in entscheidender Weise abweichen. Die Beseitigung ganzer sozialer Klassen, die Aufhebung sozial bedingter Bildungsunterschiede, die Entstehung neuer, in der BRD unbekannter Berufsbilder und -gruppen mit entsprechenden Sonderwortschätzen sollen hier als Beispiele, die sich jeder aus der unmittelbaren Erfahrung seines Alltags selbst im einzelnen exemplifizieren kann, genügen. Wenn das aber richtig ist, so steht es um die, wie oben gesagt war, oberflächliche Evidenz der sprachlichen Gemeinsamkeiten schon bedenklicher. Das Schlagwort vom ‚einigenden Band der deutschen Sprache' kann, so dürfte deutlich geworden sein, zumindest keine *nationalsprachliche* Einheit mehr reklamieren, sondern sich allenfalls auf Übereinstimmungen in lediglich einer, nämlich der schrift- oder literatursprachlichen Existenzform des Deutschen berufen – einer zweifellos hochbedeutsamen, aber eben nur einer Erscheinungsform, des vielschichtigen, inhomogenen Gebildes Sprache. Der scheinbar selbstverständliche Schluß ‚eine Sprache – eine Nation' erweist sich als Trugschluß, da er nur in der Form ‚eine *National*sprache – eine Nation' Gültigkeit beanspruchen könnte.

Geschichtslosigkeit der Sprache?

Und weiter. Das ‚einigende Band der deutschen Sprache' suggeriert eine gewisse Geschichtslosigkeit des Phänomens Sprache. Es wird appelliert an ein statisches Sprachempfinden, dem der nicht weiter über sein wichtigstes Kommunikationsmittel reflektierende Sprachbenutzer ganz natürlicherweise unterliegt – als ob eine Sprache immer mit sich selbst identisch bliebe und sich nicht veränderte im Gebrauch und in der Zeit. Gerade das aber ist der Fall.

Auch diese Behauptung kann jeder für sich auf ihre Glaubwürdigkeit hin überprüfen. Wir brauchen dazu gar nicht so weit zu gehen, uns Werke von Müntzer, Luther oder gar Walter von der Vogelweide etwa im Original anzusehen, deren volles Verständnis auch einem Muttersprachler ohne entsprechende

Hilfen nicht mehr gelingen will – obwohl sie doch auch deutsch geschrieben sind. Es genügt schon, in alten Briefen, Chronikeinträgen oder Büchern aus dem vorigen Jahrhundert zu blättern, um bestätigt zu finden, daß dieses Deutsch zwar noch durchaus verständlich, aber doch deutlich „anders" ist. Und genau das ist das Problem, dem wir nachgehen.

Sprache ist, wie alles Materielle, in unablässiger Veränderung begriffen. Doch diese Veränderung kann nur so allmählich vor sich gehen, daß die Verständigung, die gesellschaftliche Funktionstüchtigkeit der Sprache niemals in Frage gestellt wird. Deshalb wird man auch in der Geschichte der Sprachen vergeblich nach solchen tiefgehenden Einschnitten suchen, wie sie die Geschichte der Völker und Nationen charakterisieren. Die Französische Revolution von 1789, die Große Sozialistische Oktoberrevolution und das Ende des zweiten Weltkrieges bleiben in der Systementwicklung der französischen, russischen und deutschen Sprache ohne parallele, direkte Umbrüche oder Zäsuren. Die „Äußerung des wirklichen Lebens" in der Sprachentwicklung haben wir uns nicht als mechanischen Prozeß vorzustellen, der, auf igendeine starre Weise an ökonomische, soziale, politische oder kulturelle Gegebenheiten gebunden, sozusagen zwangsläufig-automatisch vonstatten geht, sondern als aktive, schöpferische Einflußnahme der Menschen, die die betreffende Sprache als ihre Sprache sprechen. Veränderte sozialökonomische Verhältnisse bewirken veränderte Verständigungsnotwendigkeiten (kommunikative Bedürfnisse), und diesen folgen die Sprecher im Prozeß der gesellschaftlichen Anwendung ihrer Muttersprache.

Möglichkeit und Wirklichkeit

Es liegt auf der Hand, daß diese Einsicht eine weitere Einschränkung des Aussagewertes sprachlicher Gemeinsamkeiten zwischen DDR und BRD anzeigt. Die erwähnten Übereinstimmungen im Laut- und Formenbestand, in den grammatischen Regeln und dem größten Teil des Wortschatzes der Literatursprache beziehen sich auf diese nur als auf eine grundsätzliche *Möglichkeit,* in der Abstraktion eines Systems, als Voraussetzung für sprachliche Verständigung. Sie sagen jedoch noch gar nichts aus über die *Wirklichkeit* des sprachlichen Gebrauchs hier wie dort, die eben nicht nur von der Möglichkeit des Systems, sondern auch von der Realität gegensätzlicher Gesellschaftsordnungen bestimmt wird. Auch die deutsche Sprache bildet kein „eignes Reich" gesellschaftsferner Abstraktion, sondern muß als „Äußerung des wirklichen Lebens" beurteilt werden.

In diesem Zusammenhang werden nun häufig ideologieabhängige Bedeutungsveränderungen von Wörtern wie Freiheit, Demokratie, Patriotismus oder Heimat angeführt. Weit davon entfernt, deren Gewichtigkeit in irgendeiner Weise zu verkennen, muß man doch sachlich feststellen, daß ihre Anzahl, bezogen auf den Gesamtwortschatz, relativ gering ist. Ihre Beweiskraft wird aber, gerade auch quantitativ, in großen Dimensionen verstärkt, wenn man sie in eine Reihe stellt mit denjenigen sprachlichen Erscheinungen, die eine für die Sprachkommunikation in der DDR *spezifische Verwendungsweise* darstellen, die also eine eigene *Norm* der deutschen Literatursprache in der DDR repräsentieren. Dafür ergibt sich ein ganzer Katalog von Typen, der an dieser Stelle natürlich in keiner Weise, auch andeutungsweise nicht, zufriedenstellend vorgestellt werden kann. Jeder

Leser ist aber bei einiger Aufmerksamkeit sehr leicht in der Lage, beim bewußten Lesen von Zeitungsartikeln z. B. oder von Werken unserer Gegenwartsliteratur Belege in großer Zahl zu erkennen und zu sammeln. Als einige der wichtigsten dieser Typen können gelten:

Neubildungen bzw. Neuprägungen von Bezeichnungen für Dinge und Erscheinungen, die es erst seit der Entwicklung einer sozialistischen Gesellschaftsordnung gibt (Arbeiter- und-Bauern-Fakultät, Betriebskollektivvertrag, Plankontrolle usw.);

spezifische Abkürzungen (WtB, KAP, KIM, RGW, AGL usw.);

besonders häufig oder besonders selten *gebrauchte* Wörter (Ideologie, klassenbewußt, sozialistisch, Staat; dagegen Rittergut, Dividende, Aufseher, Börse usw.);

die für unseren Sprachgebrauch kennzeichnende Überführung fachsprachlicher oder wissenschaftlicher Termini in die allgemeine Kommunikation (Produktivität, Bilanzierung, Rekonstruktion, Koexistenz, Komplexprogramm, Prognose);

häufig wiederkehrende (stereotype) Wortkombinationen (prinzipienfester Klassenstandpunkt, Lenkung und Leitung, schöpferische Verwirklichung der Aufgaben, Stärkung unserer Republik usw.);

Mittel zum Ausdruck der emotionalen Identifizierung mit dem Dargestellten (unsere Menschen, unsere Wirklichkeit; Adjektive wie lebensnah, vertrauensvoll, klug, selbstlos, unerschütterlich usw.);

nur aus der Kenntnis der gesellschaftlichen Situation verständliche Bezeichnungen (Gegenplan, Lehrjahr, die Partei, der Plan usw.).

In allen Fällen handelt es sich um sprachliche Reflexe auf neuentstandene soziale Kommunikationsbedingungen völlig neuer Qualität. Sie erst machen m. E. in vollem Umfang deutlich, daß wir es, vergleichbar dem Spanischen, Englischen oder Arabischen, auch beim gegenwärtigen Deutschen mit einer historisch bestimmten Sammelbezeichnung von verschiedenen *nationalsprachlichen Varianten* zu tun haben: dem Deutschen in der DDR, der BRD, in Österreich und der Schweiz. Ob, wann und wie sich diese nationalsprachlichen Varianten zu völlig eigenständigen Sprachen ausgliedern, gehört bei den großen Zeiträumen, die Sprachentwicklungen immer für sich in Anspruch nehmen, heute noch ins Reich der Spekulation. Fest steht aber, daß die oben gebrauchte vereinfachende Formel vom Verständlich- und zugleich Anderssein, die sich beim Vergleich historischer Veränderungen anbot, auch Anwendung auf die Beurteilung der sprachlichen Verhältnisse in der DDR im Vergleich zur BRD finden kann. Wir haben es dabei zu tun mit einer linguistischen Exemplifizierung des von Lenin erkannten zeitlichen Nebeneinanders historisch aufeinanderfolgender Epochen.[5]

(GOTTHARD LERCHNER, in: Forum. Organ des Zentralrats der FDJ (Berlin/DDR) 30, 1976, H. 3, S. 10–11)

[5] *Lenin, W. I.* Unter fremder Flagge. Werke Bd. 21. Berlin 1960, S. 123–146

Texte West

20. Karl Wilhelm Fricke: Die Sprache des Vierten Reiches

Neben allen eindeutig bolschewistischen Reformen und Veränderungen, die den achtzehn Millionen in der Zone seit der Spaltung Deutschlands aufgezwungen wurden, hat die fortschreitende Sowjetisierung in Mitteldeutschland auch eine neue Sprache herausgebildet: die Sprache des neuen Funktionärs – ein kaum mehr verständliches Partei-Kauderwelsch. [. . .]

Man schlage eine beliebige Nummer vom „Neuen Deutschland" auf, dem Zentralorgan der SED oder die „Tägliche Rundschau". Der Leser vermag, selbst wenn er politisch geschult ist, das Gelesene kaum mehr zu verstehen. Das ist nicht übertrieben! Was sich da täglich zusammenfindet an maßlosen Übertreibungen und nichtssagenden Wortungetümen und Parolen, geht weit über ein erträgliches Maß hinaus – ganz zu schweigen von den zahllosen neuen Wörtern und den kaum mehr definierbaren „Ismen", ganz zu schweigen auch von den plump kopierten sowjetischen Vokabeln und dem Gewimmel von Abkürzungen. Alles ist in einer grotesk-militanten Ausdrucksweise gehalten und gekennzeichnet durch eine verwirrende, sozusagen „dialektische" Begriffsverdrehung. [. . .]

Das Gefährliche dieser Entwicklung: Sprache und Politik stehen in enger Wechselverbindung zueinander. Werden Einzelworte und Redewendungen beständig und gleichbleibend wiederholt, müssen sie unweigerlich in die Sprache des Volkes übergehen. [. . .] Die Sprache des Funktionärs ist ganz bewußt auf Massenwirkung berechnet. Sie wird ihre Wirkung nicht verfehlen, weil die Menschen in Mittel- und Ostdeutschland der Propaganda der SED nahezu total und hilflos ausgeliefert sind. Zwischen den Menschen diesseits und jenseits der Elbe kann so eine größere Entfremdung eintreten, als sie die räumliche Trennung bedingt. Man spricht dann zweierlei Sprachen in Deutschland.

(Karl Wilhelm Fricke, in: Deutsche Rundschau (Baden-Baden) 78, 1952, H. 12, S. 1243–1246. Ausschnitt: S. 1243, 1244, 1246)

21. August Köhler: Deutsche Sprache in östlicher Zwangsjacke

Die deutsche Sprache in der Sowjetzone wird bewußt, planmäßig und zielsicher als politische Waffe angewandt und mißbraucht. Das ist eine Angelegenheit, die alle Menschen angeht, denen die Sprache ein hohes und edles Gut ist, das nicht verdorben, gefälscht und vergewaltigt werden darf. Wir können dazu nicht länger schweigen. Das, was wir schon heute feststellen, beweisen und belegen können ist zu ernst. Wahrscheinlich hat der deutschen Sprache noch nie eine größere Gefahr gedroht als gegenwärtig. [. . .]

Außerhalb der Sowjetzone weiß man bisher viel zu wenig davon, wie weit die Sprachverderbnis und Begriffsverdrehung bereits gediehen ist. Erst wenige haben erkannt, daß das Deutsche östlich des Eisernen Vorhangs auf manchen Gebieten bereits zu einer Sprache gemacht worden ist, die sich nicht mehr mit dem Deutschen westlich des Eisernen Vorhangs deckt. [. . .]

Die Sprachgemeinschaft ist auf wichtigen Gebieten weithin zerstört. Gerade sie aber ist das wichtigste Bindemittel für den Zusammenhalt eines Volkes. Ihr Wesen besteht in der Gemeinschaft von Begriffen, Auffassungen und Wertungen in ungezählten Lebensbereichen. Wenn zwei Menschen dieselbe Muttersprache haben, dann erfassen beide bei einem Wort dieser Sprache dessen ganzen Bedeutungsbereich, dann weckt ein Wort bei beiden dieselben Gedanken und Empfindungen. [. . .] Der Osten ist eifrig dabei, neben der von ihm gewaltsam geschaffenen räumlichen Grenze mitten durch das deutsche Land eine zweite zu ziehen: mitten durch die geistige Gemeinschaft der Deutschen. Sein Werkzeug ist die Sprache. Er mißbraucht sie dazu, die Gehirne zu vernebeln, das Denken zu vergewaltigen, die Begriffe umzufälschen. Als Freunde und Pfleger der deutschen Sprache rufen wir die Öffentlichkeit auf, diese Tatsachen zu sehen und sie nicht länger zu unterschätzen. Es geht uns nicht um Politik. Aber gerade, weil es uns um die Sprache geht, müssen wir unsere Stimme dagegen erheben, daß sie politisch mißbraucht wird. [. . .]

Wir fordern für unsere deutsche Sprache Freigabe aus der politischen Zwangsjacke und für unsere deutschen Brüder und Schwestern das Recht, ihre Muttersprache so zu gebrauchen, wie es deren Wesen entspricht. Mehr verlangen wir nicht. Das aber müssen wir fordern, denn der freie, unverfälschte und mit der Wahrhaftigkeit vereinbare Gebrauch der Muttersprache ist eines der ersten Naturrechte der menschlichen Seele.

(AUGUST KÖHLER, Vortrag im Deutschen Sprachverein Berlin am 4. 12. 1953. Berlin/W: Sprachenverlag Leben im Wort 1954. Ausschnitt: S. 5–6, 13–14)

22. Walter Richter: Zur Entwicklung der deutschen Sprache in der sowjetischen Besatzungszone

Die politische Abtrennung hat in den wenigen Jahren nach dem Kriege in Deutschland eine tiefe sprachliche Kluft entstehen lassen. Die deutsche Sprache in der sowjetischen Besatzungszone erlitt infolge der politischen Verhältnisse starke Veränderungen.

Auch in der russischen Sprache vollzog sich nach 1917 eine tiefe, durch das politische Geschehen bewirkte und zugleich politische Veränderungen bewirkende sprachliche Umwälzung. Diese „sprachliche Revolution" war jedoch „organischer" als die Sprachentwicklung in der DDR (Deutsche Demokratische Republik); sie erstreckte sich über mehrere Jahrzehnte und spiegelte nacheinander die Ereignisse des Bürgerkrieges, die NEP-Periode*, die Politik der Kollektivierung und des Aufbaus der Schwerindustrie und die Zeit des Großen Vaterländischen Krieges. Auf diesem Stande der Sprachentwicklung in der Sowjetunion begann die Übertragung des „Moskauderwelschs", wie Karl Kraus die in der

---

* NEP = Abkürzung für Novaja ekonomičeskaja politika (Neue Ökonomische Politik). Bezeichnung für die spezielle Art der Wirtschaftspolitik in der Sowjetunion in der Zeit von 1921 bis Mitte der dreißiger Jahre beim Übergang vom Kapitalismus zum Sozialismus. Besonderes Kennzeichen ist die zeitweilige Zulassung einiger kapitalistischer Wirtschaftsformen (z. B. Eröffnung kleiner Privatbetriebe).

russischen Sprache nach 1917 aufgetretenen Neuerungen schon in einem früheren Stadium der Entwicklung genannt hatte, in die deutsche Sprache der sowjetischen Besatzungszone. [. . .]

Da die Veränderungen der deutschen Sprache in der DDR nicht organisch entstanden sind, betreffen sie ganz bestimmte Teile des Sprachkörpers. Die Aussprache z. B. dürfte in den beiden Teilen Deutschlands weiterhin die gleiche sein. Die Bühnensprache bildet nach wie vor in Ost und West den Maßstab für das gute Deutsch. Dagegen sind die Veränderungen des Wortbestandes und der Wortbedeutung erheblich.

Die zahlreichen Einrichtungen und Begriffe, die aus dem sowjetischen Leben in das der DDR übertragen wurden, werden mit Termini bezeichnet, die entweder direkt übernommen wurden oder aber, im Falle der Eindeutschung, gewisse Merkmale der sowjetischen Bildung tragen. Zu den – nicht eben häufigen – Fällen direkter Übernahme gehören die in der sowjetischen Sprache beliebten, meist aus dem Lateinischen (bzw. den romanischen Sprachen) stammenden Fremdwörter, soweit ihre Übersetzung ins Deutsche Schwierigkeiten bereitet, so Begriffe wie „Initiator", „Rationalisator", „Diversant", „Diversionsakte", „Kapitulant", „Brigadier", „Junger Pionier". [. . .]

Auch das Pathos der sowjetischen Sprache (der häufige Gebrauch der Anapher und des Superlativs) und der Rückgriff auf das religiöse Vokabular („die heilige Pflicht der Werktätigen") sind in der deutschen Sprache der DDR zu finden. [. . .]

Bedeutsamer als alle Neubildungen sind die Änderungen der Wortbedeutung, ist die Wandlung der Begriffe, die sich in der Sprache der DDR wie in allen innerhalb des sowjetischen Bereichs gesprochenen Sprachen vollzogen hat. [. . .]

Die Zahl all jener sprachlichen Veränderungen ist, am Gesamtbestand der Sprache gemessen, natürlich gering. Aber ihre Wirkung ist dennoch bedeutend, weil gerade diejenigen Begriffe von den Veränderungen betroffen sind, welche die „weltanschauliche" und politische Haltung des einzelnen bestimmen. Auch hat sich „das Neue" in der deutschen Sprache noch nicht überall durchgesetzt. Aber die neue Sprache beherrscht immerhin den gesamten Bereich des gedruckten Wortes, soweit es sich nicht um das kirchliche und rein fachliche handelt, und sie ist die Sprache des öffentlichen Lebens im weitesten Sinn.

(WALTER RICHTER, in: Europa-Archiv (Frankfurt/M.) 8, 1953, H. 21, S. 6053–6056. Ausschnitt: S. 6053, 6054, 6055)

23. Richard Gaudig: Die deutsche Sprachspaltung

Die sogenannte DDR erhebt den Anspruch, ein selbständiger deutscher Staat zu sein. Sie sondert sich immer stärker von der Bundesrepublik ab. Als letztes Band bleibt schließlich nur noch die Sprache. Da stehen wir vor einem sehr ernsten Problem: Gibt es noch eine gemeinsame Sprache, in der sich die Menschen diesseits und jenseits der zur Staatsgrenze gewordenen Zonengrenze verständigen können? Genauer formuliert: Welche Sonderentwicklung ist in der auf den sowjetischen Kommunismus ausgerichteten SED-Sprache im Gange? Welche sprachlich-geistige Entfremdung und Spaltung vollzieht sich auf deutschem Boden durch das östliche Machtstreben?

Das Problem hat eine politische und eine sprachwissenschaftliche Seite. Die Sprachwissenschaft hat ein eigenes Interesse an ihm, sie leistet mit ihrer Analyse aber zugleich einen sehr wichtigen Beitrag zum geistig-politischen Abwehrkampf. [...]

Natürlich kann die SED mit ihrer kommunistischen Propagandasprache den Sprachgebrauch von 17 Millionen Deutschen nur ganz allmählich umformen und durchdringen. Wie tief ihr sprachlich-geistiger Einfluß geht, ist schwer abzuschätzen. Sehr viele gebrauchen den SED-Jargon gewiß ähnlich, wie man eine Fremdsprache, einen schlechten Dialekt spricht, neben denen man sich noch die eigene und eigentliche Sprache bewahrt. Je länger aber die politische Spaltung Deutschlands andauert und je stärker der Verkehr von Ost nach West unterbunden wird, desto größer muß die Gefahr der sprachlich-geistigen Entfremdung werden. Neben dieser größten Gefahr ist aber auch die der Ausstrahlung der SED-Sprache in die Bundesrepublik recht ernst zu nehmen. Leisere kommunistische Spracheinflüsse sind schon in allen westlichen Sprachen feststellbar, und eine erfolgversprechende Abwehr scheint uns nur möglich, wenn man sich in den weitesten Kreisen dieser Gefahr bewußt wird. Sprachinteresse und vertieftes Sprachverständnis haben daher eine fundamentale Bedeutung auch für die geistige Auseinandersetzung mit dem Kommunismus.

(RICHARD GAUDIG, in: Neue Deutsche Hefte (Berlin/W) 5, 1958/59, H. 55, S. 1008–1014. Ausschnitt: S. 1008, 1013–1014)

24. Hugo Moser: Sprachspaltung oder Sprachsonderung?

Die sprachliche Auseinanderentwicklung spiegelt die politische Trennung, und man stellt sich die bange Frage, inwieweit die Sprache nicht an verbindender Kraft verliert. Ganze sprachliche Bereiche sind von dieser Entwicklung nicht betroffen: die Rechtschreibung, die Hochlautung wie die Flexion, auch kaum der Satzbau. Wenig oder nicht berührt ist auch noch der Wortschatz für praktische Tätigkeiten und für menschliche Grundsituationen, das Wortgut der Fachsprachen und innerhalb der Sondersprachen dasjenige der mathematischen, naturwissenschaftlichen, technischen, der rein philologischen und der theologischen Veröffentlichungen, so wie auch das ausgesprochen kirchliche Schrifttum weniger Besonderheiten aufweist. Um so mehr unterscheiden sich aber die Sprache des politischen Bereichs im weitesten Sinn wie die Sondersprachen anderer Geisteswissenschaften und der Dichtung.

Inwieweit aber ist die Alltagssprache und -rede der Menschen in der Sowjetzone durch die offizielle politische Sprache geprägt? Diese Frage ist schwer zu beantworten. Die Verhältnisse liegen ganz verschieden nach Beruf, Bildungsstand und Alter. Entscheidend ist vor allem die äußere und innere Nähe zu Partei und Staat. [...]

Es gibt aber notwendige Ausdrücke, die von allen Deutschen in der Zone gebraucht werden müssen, weil sie für Dinge und Einrichtungen stehen, mit denen jeder zu tun hat. Dazu zählen etwa Benennungen staatlicher Einrichtungen wie *Volkskammer, HO* und politische Bezeichnungen wie *Brigade, Kader, Aktiv, Zirkelabend* u. a. m. [...]

Wir müssen damit rechnen, daß der Prozeß der ständigen sprachlichen Beeinflussung sich langsam, aber in wachsendem Maße auch auf andere als unvermeidbare Wörter und Wortinhalte erstreckt. So zeichnet sich die Gefahr einer sprachlichen Spaltung, nicht nur im politischen Bereich, ab. Ihre Grenze verläuft quer durch Deutschland, und sie ist zugleich ein Teil der Scheide zwischen einem westlichen und einem östlichen übernationalen Ausgleich namentlich des Wortschatzes bestimmter, politisch geprägter Bezirke. Vollzieht sich jener vor allem unter angelsächsischem Vorzeichen, so steht der östliche unter russischer Führung. Wir aber müssen wünschen, daß die heutige Phase einer beginnenden sprachlichen Auseinanderentwicklung Deutschlands in der deutschen Sprachgeschichte nur eine Episode bleibe.

(HUGO MOSER, Die Sprache im geteilten Deutschland. In: Wirkendes Wort (Düsseldorf: Pädagogischer Verlag Schwann) 11, 1961, H. 1, S. 1–21. Ausschnitt: S. 19–20)

Im Zusammenhang mit der politischen Teilung Deutschlands, wie sie seit 1945 eingetreten ist, ist heute viel von einer „Sprachspaltung" die Rede. [. . .] Kann, muß man von einer Spaltung der deutschen Sprache reden? [. . .]

Es ist kein Zweifel: es besteht die Gefahr, daß die eingeleitete sprachliche Auseinanderentwicklung zu einer weiteren Sonderung innerhalb der deutschen Hochsprache führen kann; seit der Errichtung der Mauer am 13. August 1961 hat sich diese Gefahr erheblich verstärkt. Ich sage bewußt nicht Spaltung, sondern Sonderung. Diese würde neben die anderen Ausprägungen der deutschen Hochsprache außerhalb des früher „reichsdeutschen" Bereichs treten, wobei die Unterschiede vorwiegend gestaltliche und inhaltliche Varianten des Wortschatzes betreffen würden – wenn im Laufe der Zeit nicht auch noch solche des Satzbaus und der Morphologie dazu treten. Man fragt sich besorgt, wie lange die verbindende Kraft der deutschen Sprache ausreichen wird, um diese Sonderung zu verhindern.

(HUGO MOSER, Sprachliche Folgen der politischen Teilung Deutschlands. 3. Beiheft zum „Wirkenden Wort". Düsseldorf: Pädagogischer Verlag Schwann 1962. Ausschnitt: S. 3, 48)

25. Werner Betz: Zwei Sprachen in Deutschland?

Wenn, wie heute oft, die Behauptung aufgestellt wird, daß es bereits zwei Sprachen in Deutschland gäbe, dann könnte man wohl auch die Gegenfrage stellen: ‚Nur zwei?' Welcher Fischer von der Waterkant würde einen oberbayerischen Bergbauern verstehen, wenn beide in ihrer Mundart verharren? Welcher normaldeutsche Sprachbesitzer würde einem auf Deutsch geführten medizinischen oder atomphysikalischen Fachgespräch auch nur im Verständnis der einzelnen Wörter folgen können? Oder – ein dritter Bereich von weit mehr als zwei Sprachen: welcher normale Deutsche verstände, was ein ‚Unhahn' oder ein ‚Unzahn' ist, eine ‚Verlade' oder eine ‚Bediene', was in einer der modernen Sondersprachen, der sogenannten Twen-Sprache, angeblich soviel heißen soll wie ein unangenehmer Mensch, ein unangenehmes Mädchen, eine angenehme, eine unangenehme Angelegenheit.

Wollte man hier mit dem gleichen Maßstab messen wie bei jener so vielfach unnötig und mit falschem Akzent dramatisierten west-östlichen Sprachklage, dann müßte man sagen, es gäbe in Deutschland nicht nur zwei, sondern Dutzende von verschiedenen Sprachen.

Und ‚Freiheit‘? Ist Hegels Freiheitsbegriff nicht etwa verschieden von dem Nietzsches? Versteht in der Bundesrepublik Franz Josef Strauß unter ‚Pressefreiheit‘ dasselbe wie sein journalistischer Gegner Rudolf Augstein? [. . .] Sicher bestehen in allen diesen Fällen mehr oder weniger verschiedene Wortbedeutungen. Sprechen die Beteiligten darum alle verschiedene Sprachen? Wie viele verschiedene Sprachen gäbe es dann in Deutschland? Weil man einen gelegentlich verschiedenen Gebrauch, den zwei von der gleichen Sprache machen, metaphorisch zugespitzt hat und sagt: „Sie sprechen zwei verschiedene Sprachen‟, nimmt man dann anschließend die Metapher gleich als Wahrheitsbeweis und stellt die Existenz zweier Sprachen fest, im vorliegenden Fall also die Spaltung der deutschen Sprache in eine östliche und eine westliche Sprache. Das könnte man nach sprachwissenschaftlichen Grundsätzen aber erst dann, wenn Form und Bedeutung der Sprache in Frankfurt und in Leipzig sich entsprechend weit auseinanderentwickelt hätten – so weit etwa, wie sie sich in zweitausend Jahren zwischen Köln und Amsterdam auseinanderentwickelt haben. Das dürfte aber, selbst wenn es wider alle Hoffnung einträte, wohl noch ein paar hundert Jahre dauern. So schnell ändern sich Sprachen nicht, auch nicht in der Multiplikation durch Zeitung, Rundfunk und Fernsehen oder eben gerade nicht in einem Zeitalter, in dem bald jedes Wort auf Papier oder Tonband fixiert, multipliziert und auch wieder uniformiert wird.

Aber unser Thema hier, das, anders formuliert, die Frage aufwirft, ob es eine eigene Sprache (richtiger ‚Vokabular‘) in Westdeutschland und eine eigene andere Sprache in Mitteldeutschland gibt – womit wir uns schon in der Auseinandersetzungszone eben dieser Terminologie befinden – dieses unser Thema bezieht sich, bzw. will sich wohl beziehen, auf einen anderen Bereich als den von Mundart, Fachsprache, Sondersprache her abgesteckten Bereich. Am ehesten könnte man noch erwägen, ob es etwa in den Bereich der Fachsprache gehört, und zwar insofern, als es sich bei unserem Thema um einen Fall politischer Fachsprache handeln könnte. Aber auch dies trifft nicht zu, wenigstens der Absicht nach, da von einer Seite zumindest der Anspruch erhoben wird, daß dies keine Fachsprache, sondern allgemeinverbindliche Hoch- und Umgangssprache sein soll. Der entscheidende Unterschied der westdeutschen und der mitteldeutschen Sprache besteht eben darin, daß die mitteldeutsche Sprache dem alten Wortkörper in vielen Fällen eine neue Bedeutung gegeben hat, bzw. zu geben versucht. Die Neuerung liegt also auf seiten der mitteldeutschen Sprache. Das sieht dann etwa so aus, daß der alte Lautkörper ‚Aggression‘ im Westdeutschen wie bisher die Bedeutung ‚Überfall‘ hat, ‚militärischer Überfall‘ im ganz allgemeinen Sinn. Im Mitteldeutschen hat er aber, laut Leipziger Duden, die Bedeutung „imperialistischer Überfall‟. [. . .] Früher stritt man sich darüber, ob ein ‚Krieg‘ gerecht oder ungerecht war; heute nennt man ihn ‚Polizeiaktion‘ und läßt damit durch die Wahl dieses Terminus die Frage gerecht oder ungerecht schon von vornherein beantwortet sein. Ist es hier die Wahl eines bestimmten Ausdrucks, durch die die gewünschte Entscheidung und Anschauung schon bestimmt wird, so ist es in einem anderen Falle wiederum so, daß man durch Umwandlung, Umdefinierung eines bisher in einem weiteren Sinne allgemeinen Begriffs die Entscheidung neu in den Begriff selbst hineinlegt – und zwar so, daß man die unerwünschte, für einen selbst negative, für die Gegenseite positive Verwendung, von vornherein definitorisch ausschließt. Das ist der Fall z. B. bei der schon erwähnten neuen Definition von ,Aggression‘, die ein kommunistischer Staat also nach dieser Terminologie gar nicht mehr begehen kann. Hier wird jene totale Sprachlenkung versucht, wie sie Orwell in seiner Utopie ,1984‘ entwickelt hat. [. . .]

Zwei Sprachen werden sich aus dieser einen gemeinsamen deutschen Sprache sicher nicht entwickeln. Zwei Sprachen, müssen wir allerdings gleich anfügen, in jenem traditionellen Sinn, in dem der Linguist von zwei Sprachen spricht. Das besondere Neue ist hier ja in erster Linie die Veränderung des semasiologischen Systems, so daß im Extrem sich eine Sprache von Homonymen ergeben könnte mit völlig verschiedener Bedeutung – eben jene Sprache, die Orwell in seiner Utopie gezeichnet hat. Es ergäbe sich dann die Situation, daß zwei Sprecher völlig gleiche Laute sprächen, aber damit völlig Verschiedenes meinen.

(WERNER BETZ, in: Merkur. Zeitschrift für europäisches Denken 16, 1962, H. 9, S. 873–879; hier zitiert nach: FRIEDRICH HANDT (Hg.), Deutsch – gefrorene Sprache in einem gefrorenen Land? Berlin: Literarisches Colloquium 1964, S.155–161. Ausschnitt: S. 155–156, 158)

26. Martin Walser: Werbe-Chinesisch und Partei-Chinesisch

Es gibt eine öffentliche Sprache in Deutschland, die das Zeug hat, für uns zur Fremdsprache zu werden. Sie wird in der DDR gesprochen. Ob sie mehr geschrieben wird als gesprochen, wage ich nicht zu beurteilen. Daß sie streng verwaltet wird, verbirgt sich weder im Vokabular noch in der Syntax.

Ein besonderer Jargon innerhalb dieser Sprache wurde ausgebildet, um der Bevölkerung in der DDR eine unheimlich beschränkte Vorstellung von Westdeutschland zu empfehlen. Die heimischen Tabus werden dort ja vor allem mit westdeutschem Feindfleisch gemästet.

Selbstverständlich hat auch der Westdeutsche einen Staat, der ihn mit einem Vokabular versorgt, das zur Verfügung steht, wenn Äußerungen über die „Zone" fällig werden. Solche Jargons lernen voneinander, steigern einander zu den komischsten Leistungen. Es besteht immerhin die Gefahr, daß unsere Bevölkerungen, die einander immer weniger kennen, das Wortzeug schließlich für Wirklichkeit nehmen.

Rührend ist, daß beide Seiten in ihren Beschimpfungen die Bevölkerung der Gegenseite sorgfältig schonen. Der böse Dialog akkumuliert sich streng exklusiv zwischen Bonn und Pankow. Das östliche Vokabular ist allerdings weniger selbstbewußt als das westliche. Also hektischer. Aggressiver. Es bellt. Und da es schon eine Zeitlang bellt, ist es längst heiser.

Die für den heimischen sozialistischen Aufbau gemachte Sprache gibt sich freundlicher. Man sieht auch ihr an, daß es eine gemachte Sprache ist. Ihre Verwalter stellen Wörter zur Verfügung für jede öffentliche Regung der Bevölkerung. Die Sprache wird ein System von Kanälen. Gedacht ist an jede Art Wässerlein. Von fruchtbringender Bewässerung bis zum Abwasser, das ja auch irgendwohin muß. Die Wörter stehen zur Verfügung. Wer was denkt, soll nicht auch noch nach dem Wort suchen müssen. Der Staat liefert die Interpretation der „Gesamtwirklichkeit". Die reicht dann von aufgezäumter Wissenschaft bis hinaus in die „Wirkungsbereichsausschüsse", „Dorfakademien" und endet in „Agitationskästen". [. . .]

Um einem allzu raschen westlichen Lächeln zuvorzukommen, muß daran erinnert werden, daß Illusionismus und Öde der östlichen Parteisprache von einer sehr mächtigen öffentlichen Sprache des Westens in den Schatten gestellt werden: von der Sprache der Werbung. Und wie genau in der Sprache zum Ausdruck kommt, was vergleichbar ist, zeigen zwei Wörter: Werbe-Chinesisch (bei uns), Partei-Chinesisch (drüben). Phantastisch genau sind in diesen beiden Wörtern die großen Brüder, die gewaltigen Souffleure aufgebahrt. Entstehen konnten diese Wörter nur unter Betroffenen.

(MARTIN WALSER, Einheimische Kentauren oder: Was ist besonders an der deutschen Sprache? In: Die Zeit (Hamburg), 20. 11. 1964, S. 23–25. Ausschnitt: S. 25)

27. Walther Dieckmann: Kritische Bemerkungen zum sprachlichen Ost-West-Problem

Sieht man sich die vorliegenden Untersuchungen zum sprachlichen Ost-West-Problem an, so scheint mir der Ertrag für die Sprachwissenschaft gering. Das methodische Interesse ist – mit wenigen Ausnahmen – nur schwach entwickelt und wird häufig genug vom politischen überdeckt. In der Behandlung von Detailfragen [. . .] sind gute Ergebnisse erzielt worden. Die Arbeiten aber, die das Problem auf einer allgemeineren Ebene untersuchen, weisen so grundsätzliche Mängel auf, daß mir eine zusammenfassende Kritik notwendig erscheint. [. . .]

Versucht man die Resultate zu bestimmen, über die allgemeine Übereinstimmung herrscht, so ergibt sich etwa folgendes Bild: (1) In beiden Teilen Deutschlands hat sich die Sprache verändert und ist in einem fortlaufenden Prozeß des Wandels begriffen. (2) Von einer Auseinanderentwicklung sind kaum oder gar nicht betroffen Lautung, Rechtschreibung, Grammatik und der größte Teil des Wortschatzes. (3) In Teilen des Wortschatzes fanden einschneidende Veränderungen statt. Sie betreffen Wortbestand, Wortinhalt und Worthäufigkeit. (4) Veränderungen dieser Art sind sowohl im Osten wie im Westen festzustellen. Die Neuerungen sind jedoch im Osten ungleich zahlreicher und einschneidender. (5) Die größte Rolle für die östlichen Neuerungen spielt der direkte oder indirekte Einfluß des Russischen. (6) Es sind auffallende Ähnlichkeiten zwischen der Sprache der SED und der des Dritten Reiches festzustellen. (7) Die Sprache im Osten zeigt deutliche Merkmale des Polizei- oder des totalitären Staates. (8) Die Sprache im Osten ist krank, pervertiert, leidet an Begriffsverwirrung, Entinhaltlichung und wird mißbraucht. (9) Als eine Folge dieser Entwicklung besteht schon heute die Gefahr, daß Ost- und Westdeutsche sich nicht mehr verstehen. (10) Es besteht ferner die große Gefahr, daß sich die zwei Teile Deutschlands sprachlich ganz auseinanderentwickeln *(Teilung, Sonderung, Gefahr der Sonderung).*

Das vornehmliche Ziel der folgenden Abschnitte ist nicht, diese Aussagen als unzutreffend zu verneinen, sondern zu zeigen, daß sie – falsch oder richtig – nicht hinreichend belegt werden und daß die Belege, die gegeben werden, in vielen Fällen die Ergebnisse nicht stützen. [...]

Die meisten Arbeiten benutzen die Duden-Ausgaben zu Unrecht als direkte Quelle für den tatsächlichen Sprachgebrauch in Ost und West. Wenn im westdeutschen Duden *Volksdemokratie* nicht aufgeführt ist, so bedeutet das aber, wie jeder weiß, nicht, daß dieses Wort nicht trotzdem im Westen häufig gebraucht würde. Auf der anderen Seite ist nicht jedes neue Wort, das Eingang in den Ost-Duden findet, in der Bevölkerung notwendig bekannt. Im großen ganzen ist der Duden, obwohl er sich als normatives Wörterbuch versteht, auch als beschreibende Quelle brauchbar, weil er in den meisten Fällen den tatsächlichen Sprachgebrauch auch normativ verlangt. Wenn aber irgendwo eine Diskrepanz zwischen Duden und Sprachwirklichkeit besteht, so ist es in dem Bereich, der hier zur Debatte steht, im politischen Wortschatz. Der Ost-Duden *ist* ein Instrument politischer Sprachlenkung, und wer ihn nicht als solches erkennt, wird ihn falsch interpretieren. Die Aufnahme eines Wortes aus der politischen Sphäre sagt immer etwas über die Absichten der herrschenden Partei, aber nicht notwendig etwas über den Gebrauch des Wortes im ostdeutschen Sprachraum. Und auch der West-Duden ist nicht politisch neutral, sind doch nicht einmal die gebräuchlichsten Wörter östlicher Herkunft registriert. Man könnte am West-Duden also sehr leicht nachweisen, daß die westdeutschen Neubildungen zahlreicher sind als die ostdeutschen, ganz einfach deshalb, weil die letzteren nicht erscheinen. Die scheinbar so sichere Vergleichsbasis der Lexika ist also ein unsicherer Boden, wenn man den Sprachgebrauch in Ost und West beschreiben will. [...]

Die Ursache für die fehlerhafte Deutung der sprachlichen Situation im Osten – der Westen wird sowieso nur recht aphoristisch behandelt – ist in einem etwas komplizierteren Mißverständnis zu suchen. Was bewiesen werden soll, ist, daß ein Wort notwendig seine Bedeutung verändere, wenn ein Kommunist es gebraucht. Dahinter steckt die Auffassung der Sprache als System, das mit dem Bezug auf die kommunistische Ideologie insgesamt eine sprachinhaltliche Veränderung erfahre. [...] Die bisherigen Arbeiten zum Thema scheitern fast alle an der Aufgabe, den Einfluß der Ideologie auf die Wortbedeutung angemessen zu beschreiben. Die sprachbeschreibenden Kategorien sind überhaupt kaum entwickelt, während das wertende Vokabular aufschwillt. [...] Überall findet man wertende Begriffe wie *Begriffsverzerrung, -verwirrung, -verdrehung, Entleerung, Aushöhlung, kranke Sprache, heile Sprache* usw., mit denen ein unterschiedlicher Sprachgebrauch, der mehr geahnt als erkannt wird, bezeichnet wird. Im übrigen werden die verschiedenen, oft recht komplizierten Vorgänge schlicht zur *Veränderung*. Und das nicht ohne Grund; denn mir scheint, daß sich die Art der Veränderung nicht genauer festlegen läßt, solange man beim ost-westdeutschen Einzelwortvergleich stehenbleibt. Der Grundwortschatz der marxistischen Theorie ist in seinem Bedeutungssystem eng und direkt mit der Ideologie verknüpft, und es ist sinnvoll und auch beim Einzelwortvergleich erfolgversprechend, der ideologischen und propagandistischen Komponente nachzuspüren. [...]

Mir scheint der einzig erfolgversprechende Weg zu sein, für eine Weile auf den vordergründigen politischen Effekt des ost-westdeutschen Vergleichs zu verzichten und die Sprache, die man theoretisch als System begreift, auch praktisch als System zu untersuchen. Nimmt man sich weiterhin eine Vielzahl einzelner Wörter vor, so kommt man nicht weiter als die bisherigen Versuche, die eigentlich immer nur zwei Dinge sagen: a) Die Wörter werden im Osten und im Westen in verschiedener Bedeutung gebraucht; b) im Osten sind sie von der Ideologie bestimmt. Beides kann man nun als bekannt voraussetzen. – Verzichtet man auf den Vergleich, so wird der Weg frei für die notwendige genauere Untersuchung der politischen Sprache in Ost und West als mehr oder weniger geschlossener Systeme. [. . .]

Was ist Sinn und Zweck der Beschäftigung mit der sprachlichen Situation im geteilten Deutschland? Das *sprachwissenschaftliche* Interesse ist ungleichmäßig entwickelt. Die Probleme, die die Sprache der Politik und auch die spezielle Thematik des sprachlichen Ost-West-Gegensatzes bieten, sind zum Teil noch gar nicht in Angriff genommen. Wo sie diskutiert werden, bleibt man bei vagen Vorläufigkeiten stehen. Die wesentlichen Fragen sind noch ungelöst und manchmal noch gar nicht erkannt. [. . .] Das eigentliche „Anliegen" ist eher ein politisches, ein menschliches, ein ethisches als ein sprachwissenschaftliches; denn alle Arbeiten sind verbunden in Klage und Anklage: Klage über die Teilung, Anklage der SED; Mitleid mit den Unterdrückten, Furcht vor den Machthabern und ihrer Propaganda, Prophezeiung einer schrecklichen Zukunft, wenn die Teilung anhält. – Wäre Sinn und Zweck der Untersuchungen also ein politischer oder ein humanitärer? Vielleicht wollen sie so verstanden werden, aber die Bilanz ist auch hier nicht besser. Die Sprachwissenschaft spricht politisch notwendigerweise eine Sprache der Ohnmacht. Sie weiß keinen Weg zur Wiedervereinigung und kennt kein Mittel, die Auseinanderentwicklung innerhalb der deutschen Sprache bei andauernder politischer Teilung aufzuhalten. So bleibt nur die Klage und die vage Hoffnung, daß die politische Situation sich ändern könne (wie?), daß die Sprache sich selbst helfen werde (wie?), daß die Menschen im Osten der Propaganda widerstehen werden. Um zu diesem Ergebnis zu kommen, braucht man aber keine Sprachuntersuchungen.

Zum politischen Problem der Teilung hat die Sprachwissenschaft nichts zu sagen, was man nicht auch ohne sie wüßte. Ihr Gebiet ist die Sprache und zwar die Sprache, wie sie sich heute bietet. Es wäre besser, sie würde sich darauf konzentrieren und weniger über die Teilung und ihre möglichen Folgen in der Zukunft spekulieren. Es ist gut, daß die Gegenwartssprache in die sprachwissenschaftliche Erörterung einbezogen worden ist; Futurologie scheint mir aber nur in den wissenschaftlichen Bereichen sinnvoll, wo die Zukunft vorausberechenbar ist und ein modifizierender oder gar verhindernder Eingriff möglich. [. . .]

(WALTHER DIECKMANN, in: Zeitschrift für deutsche Sprache (Berlin/W) 23, 1967, H. 3, S. 136–165. Ausschnitt: S. 136, 142–143, 146, 152, 153, 164–165)

28. Gustav Korlén: Sprachlenkung in Ost und West

Die ostdeutschen Neuprägungen und Lehnbedeutungen sind das Produkt einer umfassenden und sehr bewußt betriebenen Sprachregelung und Sprachlenkung – worunter ich den Versuch verstehe, die Macht der Sprache über das Denken bewußt auszunützen. Dies ist wiederum nicht isoliert aus der russischen Perspektive zu verstehen, sondern gehört in einen größeren slawischen und volksdemo-

kratischen Zusammenhang hinein. Man könnte also als Parallele zu dem abendländischen Sprachausgleich von einem volksdemokratischen oder sozialistischen
Ausgleichsprozeß sprechen – wobei wir uns freilich bewußt sein sollten, daß es
wenige Begriffe gibt, die so strapaziert worden sind wie die Wörter: hier Abend-
land, dort Sozialismus.

„Wer Diktator werden will, tut gut daran, Semantik zu studieren", heißt es in
einem Aufsatz des dänischen Sprachtheoretikers Louis Hjelmslev. Nicht nur die
Diktatoren, auch jeder demokratische Politiker ist heutzutage – bewußt oder
unbewußt – ein Praktiker der Semantik. Denn wir sollten uns nichts vormachen
lassen: Sprachlenkung ist keine Erscheinung, die lediglich für die östliche Welt zu
verzeichnen wäre. [. . .]
Wir haben da zunächst den ganzen Bereich der Reklame. Hier ist die Manipulierung der Sprache unter Ausnützung der raffiniertesten Methoden der Massen-
psychologie – und der Semantik – jedem so evident, daß sich ein näheres Eingehen
darauf erübrigt. Wir haben aber auch die Manipulierung der politischen Sprache.
Gewiß ist diese im stalinistischen Restgebiet anders zu beurteilen als im Westen.
Sie wird dort mit allen Mitteln einer totalitären Macht betrieben. Sie ist daher
auch leichter zu entlarven. Daß sie aber auch in Westdeutschland zur Technik der
politischen Beeinflussung gehört, hat Hans Magnus Enzensberger vor einigen
Jahren in seiner sehr eindrucksvollen Georg-Büchner-Rede mit bissiger Ironie
unterstrichen: „Die politische Sprache, die heute in Deutschland gesprochen
wird, widersetzt sich aller Vernunft. Man kann über sie sprechen, in ihr nicht" –
ein herber Satz, mit dem ich mich nicht in seiner ganzen Konsequenz identifizieren
möchte. Aber immerhin, man könnte dazu eine ganze Reihe von antithetischen
Vokabeln anführen: hier *Schandmauer*, dort *Schutzwall*; hier *Spalterflagge*, dort
Abspaltung vom deutschen Nationalverband; hier *Alleinvertretungsrecht*, dort
Alleinvertretungsanmaßung; hier *Oder-Neiße-Linie*, dort *Friedensgrenze*; hier
Bundesrepublik und *Mitteldeutschland*, dort *Westdeutschland* und *Deutsche
Demokratische Republik*.

GUSTAV KORLÉN, Führt die Teilung Deutschlands zur Sprachspaltung? In: Der Deutschun-
erricht (Stuttgart) 21, 1969, H. 5, S. 5–23. Ausschnitt: S. 13–15)

29. Peter von Polenz: Sprachwissenschaft soll Kommunikations-
schwierigkeiten überwinden helfen

Wenn heute die Kommunikation zwischen offiziellen Vertretern der zweieinhalb
westlichen' deutschsprachigen Staaten und denen des östlichen trotz der Gemein-
amkeit des grammatischen Systems und des Grundwortschatzes der deutschen
Sprache stark behindert ist, so geht dies primär auf eine Auseinanderentwicklung
und planvolle Veränderung der politischen Begriffssysteme und Wirklichkeiten
zurück. Keinesfalls ist dies Problem mit dem Rückzug auf ideologische Theoreme
wie ,Magie des Wortes', ,Mißbrauch der Sprache', ,kranke Sprache' zu lösen.
Weder wirkt ,die Sprache' selbständig, noch kann man einer politischen Gruppe
das Recht absprechen, den Sprachverkehr für seine Zwecke auszunutzen, während man die eigene Gruppe unbesehen davon freispricht. Menschenlenkung ist
eine außersprachliche Erscheinung, die sich schon immer der Sprache als eines

ihrer wirksamsten Mittel bedient hat. Ihre Berechtigung kann nicht von der Sprachwissenschaft beurteilt werden. Die Sprachwissenschaft und ihre Teildisziplin Sprachgeschichte sind in der Gefahr, sich in den Dienst dilettantischer Politik zu stellen, wenn deutsche Sprachforscher und Sprachlehrer sich etwa darauf einlassen, den Sprachgebrauch derer, die nicht zur eigenen Gruppe gehören, als ein ,anderes', ,uneigentliches' oder ,falsches' Deutsch aufzufassen. Es gibt keine bestimmte Norm, die man ,die deutsche Sprache' nennen und von der man den Sprachgebrauch bestimmter Gruppen als abweichend unterscheiden könnte. Deutsche Sprache ist vielmehr nur die abstrakte Summe der potentiellen Sprachanlagen aller der in mehreren Staaten lebenden und verschiedenen Gruppen zugehörigen Menschen, die von Kind an gewohnt sind, mit Hilfe des deutschen Grundvokabulars und grammatischen Regelsystems sich auszudrücken und zu handeln. Sprachwissenschaft und Sprachlehre haben die Aufgabe, auf Kommunikationsschwierigkeiten und -wirkungen beim Gebrauch der verschiedenen Gruppennormen und Sachnormen innerhalb der deutschen Sprache in Vergangenheit und Gegenwart hinzuweisen bzw. sie überwinden zu helfen.

(PETER VON POLENZ, Geschichte der deutschen Sprache. Berlin/W: Verlag Walter de Gruyter & Co 1970. Ausschnitt: S. 184–185)

30. Hans H. Reich: Zwei Sprachen deutscher Nation?

Bei „Sprachspaltung" oder „Sprachentfremdung" denkt man doch wohl an das Entstehen verschiedener Nationalsprachen, neuer Sprachsysteme also, so wie sich Französisch, Italienisch, Spanisch aus der einen lateinischen Sprache entwickelt haben. Begriffe wie „SED-Jargon" oder „Parteichinesisch" aber weisen auf bestimmte Schreib- und Redegewohnheiten, auf Formen der Sprachverwendung, so wie man von einer Sprache der Kirche, einer Sprache der Bürokratie, einer Sprache des Alltags sprechen kann. Trotzdem wird unbedenklich von Unterschieden in der Sprachverwendung auf eine Auseinanderentwicklung der Sprachsysteme geschlossen. Indem derart die Sprachgewohnheiten von politisch feindlichen Gruppen als repräsentativ für die Gesamtsprache ausgegeben werden, entsteht ein Bild, das größere Widersprüche zeigt, als in Wirklichkeit vorhanden sind. [. . .]
   Die sprachlichen Unterschiede repräsentieren durchweg Unterschiede in der Sache. Wenn Wortschatzneuerungen in der Bundesrepublik nicht ganz so häufig auftreten, dann ist das nur eine Folge der Tatsache, daß die politischen Veränderungen in der DDR einschneidender gewesen sind. Aber prinzipiell liegt darin nichts Beunruhigendes, daß neue Dinge mit neuen Namen gekennzeichnet werden. Die „soziale Marktwirtschaft" und das „Neue ökonomische System der Planung und Leitung der Volkswirtschaft", die „außerparlamentarische Opposition" und die „Nationale Einheitsfront des demokratischen Deutschlands", die „Große Koalition" und der „Staatsrat der DDR" mußten ja irgendwie benannt werden. Die Existenz dieser Ausdrücke verändert nicht die Struktur der Sprache. Wenn sie nicht verstanden werden, so indiziert das nicht eine sprachliche, sondern eine sachliche, politische Entfremdung, Mangel an Information. In dieser Hinsicht entspricht die linguistische Grenze zwischen der DDR und der Bundesrepu

blik am ehesten den Verständnisbarrieren zwischen verschiedenen Fachsprachen, die innerhalb ein und derselben Nationalsprache nebeneinander bestehen. [. . .]

In einem vergröbernden Bild ließe sich sagen, daß die sprachliche Szene auf der politischen Bühne der DDR von einem einzigen großen Megaphon beherrscht wird, während in der Bundesrepublik eine Menge von Stimmen mehr oder minder dissonant durcheinander und gegeneinander tönen. Es ist nicht verbürgt, daß die Chance, in diesem Ensemble die Wahrheit zu vernehmen, immer größer wäre. Wir haben es erlebt, daß erst das Auftreten der außerparlamentarischen Opposition die Fragwürdigkeit vieler allzu selbstverständlich gewordener Formen öffentlich bewußt gemacht hat. Aber es hat den Vorteil, daß jedem zur Artikulation seiner politischen Haltung ständig konkurrierende sprachliche Muster prinzipiell wahlfrei zur Verfügung stehen. Die zunehmende Unüberschaubarkeit der modernen Welt macht es wohl unumgänglich, daß wir in unserem politischen Denken und Sprechen uns immer wieder vorfabrizierter Modelle bedienen. Die öffentliche Sprache der DDR aber kennt nur ein einziges solches Modell; ihre sprachliche Interpretation der politischen Welt ist für die meisten Bürger der DDR ohne Konkurrenz. Politische Opposition drüben, von der Partei verächtlich als „Abweichlertum" bezeichnet, hat, soweit sie vernehmbar geworden ist, immer wieder versucht, dieses Interpretationsmonopol zu brechen, d. h. vorgängig suggerierte Wertungen zu neutralisieren, die marxistischen Begriffe aus ihrer namensartigen Klammerung an konkrete Realitäten zu lösen und ihre zu formelhaften Sprüchen erstarrten Beziehungen neu zu durchdenken. Das ist – auch sprachlich – keine geringe Leistung. Sie verkörpert die Chance der Rationalität. Niemand ist einer „sprachlichen Verführung", dem Versuch der Bewußtseinssteuerung durch Manipulation der Sprache, hilflos ausgeliefert, aber es bedarf geistiger Anstrengung, sich ihr zu entziehen. Nicht daran scheiterte bislang ein gesamtdeutsches Gespräch, daß Sprache und Sprechgewohnheiten unserem Denken unlösliche Fesseln auferlegten. Nicht daran, daß „Ostdeutsch" und „Westdeutsch" füreinander zu Fremdsprachen würden.

(HANS H. REICH, in: H. ABICH (Hg.), Versuche über Deutschland. Bremen: Verlag Schünemann 1970, S. 216–228. Ausschnitt: S. 217, 219–220, 227–228)

31. Jürgen Beckelmann: Bundesdeutsche und DDR-Bürger sprechen sich auseinander

Wie man selber redet, bemerkt man oft nicht, aber dies ist wohl sicher: Wir, die Bundesrepublikaner, sprechen im Vergleich zu den DDR-Deutschen flotter, cleverer, Amerikanismen unterlaufen selbst dem, der für das offizielle Amerika nicht viel übrig hat. Wir lieben den „Pep" in der Sprache. Unter den jungen Leuten hat sich sogar eine Pop-Sprache entwickelt. Pausenlos bekundet unsere Ausdrucksweise, daß wir Bescheid wissen in der großen weiten Welt.

Die DDR-Deutschen, die, auch wenn sie ihrem System kritisch gegenüberstehen, ein anderes, nämlich gesellschaftspolitisch und gesellschaftskritisch geprägtes Bewußtsein von der Welt haben, finden uns oft großsprecherisch, angeberisch, oberflächlich. Unsere Ausdrucksweise mißfällt ihnen. Dahinter steckt nicht nur geheimer Neid auf unseren höheren Lebensstandard. Auch die DDR hat ja inzwischen einen relativen Wohlstand erreicht. Es scheint, als ob die Leute in der DDR unsere „Cleverness", die sich in der Sprache äußert, als frivol, als irgendwie unanständig empfinden; als ob sie meinten: Die haben sich bereitwillig vom Kapitalismus manipulieren lassen.

Wenn auf der anderen Seite wir die Grenze besuchsweise wechseln, fällt uns auf, daß die Menschen, ob Volkspolizist oder gewöhnlicher Bürger, allzu ausführlich sprechen. Sie lassen sich Zeit zum Reden, und wir, denen alles nicht schnell genug geht, werden insgeheim ungeduldig. Und vieles verstehen wir nicht mehr richtig, denn die Leute verwenden wie selbstverständlich Ausdrücke, die spezifische Tatbestände in der DDR bezeichnen, neue Tatbestände, die wir zu wenig kennen.

Dabei übersehen wir, daß die DDR-Sprache gelegentlich durchaus auch auf die BRD-Sprache abfärbt. Zum Beispiel kommt das Wort „aufzeigen", das wir inzwischen benutzen, aus der DDR. Früher wurden Zusammenhänge „dargestellt", heute werden sie „aufgezeigt". Der Begriff der „Effektivität" war längst in der DDR, in deren Wirtschaftssprache im Schwange, bevor er in der Bundesrepublik Mode wurde. Dasselbe gilt von der „Prognose", dem Begriff aus der Zukunftsforschung und -planung, worin die DDR der Bundesrepublik um etliche Nasenlängen voraus ist. [...]

Perspektive, Prognostik, Planung und Leitung (der Wirtschafts- und Bildungsprozesse), kulturell-ökonomischer Leistungsvergleich: diese und viele andere Begriffe, die einem Bundesbürger wenig sagen, sind inzwischen Umgangssprache geworden. Die Parteipresse, die diese Begriffe und damit die Sachen, die sie bezeichnen, pausenlos propagiert, bedient sich einer Sprache, die Sicherheit und Festigkeit ausdrückt, oft in pathetischem, manchmal in gefühlvollem Ton. Überschriften aus dem „Neuen Deutschland" belegen das:

„Hennigsdorfer fordern heraus zum Leistungsvergleich", so ist ein tragender Artikel überschrieben; Untertitel: „Wettbewerbsverpflichtung: Vertragstreue und qualitätsgerechte Zulieferungen." Es geht um die Stahlproduktion des Walzwerkes Hennigsdorf bei Berlin. [...] Der Leitartikel, der sich mit der Ostseewoche in Rostock befaßt, ist überschrieben: „Unser sicherer Kurs."

„Unsere Träume, unsere Taten in Farbe, Klang und Wort" – unter diesem für uns unverständlich bombastischen Slogan wird im Inneren des Blattes eine Leserdiskussion über neue Kunstwerke begonnen. Derartige Diskussionen um Fragen der Kultur, der Bildung und Weiterbildung, der sozialistischen Moral und Lebensweise oder der Verschönerung der Städte und Dörfer haben bereits Tradition. Und stets stellt die Redaktion sie unter schulmeisterliche Parolen, etwa: „Den Reichtum der Kultur – erwirb ihn, um ihn zu besitzen", oder: „Kultur hilft unser Leben meistern", oder: „Das Jahr 2000 im Blick." [...] Die Propagandasprache dient schließlich der Produktionssteigerung. Und das merkt man ihr an: Sie ist grobgeschnitzt, meidet die im Westen so beliebte Pointierung, zieht dem angelsächsischen Understatement und dem ironisierenden Sprach-Pop der westlichen jungen Generation das lehrhaft-dröhnende Kulturpathos der Großväter vor.

Nicht kritische oder auch nur witzige Distanz zur Wirklichkeit liebt diese Sprache, sondern eher deren feierliche Bejahung. Gesprochen wird sie nicht vom „schicken", „sportlichen", auf „Fitneß getrimmten Typ" westlicher Konsum-

Prägung, sondern vom strebsamen „Werktätigen" und „Schrittmacher" einer sozialistischen Kultur.

(JÜRGEN BECKELMANN, Frivol oder feierlich: Bundesdeutsche und DDR-Bürger sprechen sich auseinander. Statt Pep dröhnende Parolen. In: Kölner Stadt-Anzeiger, 29. 7. 1971, S. 9)

32. Manfred W. Hellmann: Bericht über die Arbeit der Forschungsstelle Bonn des Instituts für deutsche Sprache

Das Thema der sprachlichen Entwicklung „in den beiden Teilen Deutschlands" (wie man früher sagte) ist bekanntlich nicht von der Bonner Forschungsstelle des Instituts für deutsche Sprache (Mannheim) zuerst aufgegriffen oder gar erfunden worden. Es hatte schon in den fünfziger und Anfang der sechziger Jahre in der Öffentlichkeit, in den Massenmedien vor allem, eine breite Resonanz gefunden und war auch in der germanistischen Forschung mehrfach aufgegriffen worden. [. . .] Dennoch: Daß ein zentrales Institut für deutsche Sprache dieses Problem einer außersprachlich bedingten sprachlichen Differenzierung zwischen Ost und West nicht unbeobachtet lassen durfte, lag auf der Hand. Das öffentliche Interesse am Thema ist bis heute im übrigen nicht erloschen und in der Tat ein nicht unerhebliches Stimulans für unsere Arbeit. [. . .]

Keine staatliche oder private Stelle hat zu irgendeiner Zeit auch nur den Versuch gemacht, unsere Arbeit in irgendeiner Weise zu beeinflussen, weder in Bezug auf die Setzung der konkreten Arbeitsgebiete, noch auf die Auswahl der Methoden, auf die angestrebten Ergebnisse oder auf deren Formulierung. Was wir getan haben und tun, wird von uns selbst im Rahmen der Gesamtaufgaben des Instituts für deutsche Sprache verantwortet und von sonst niemand. [. . .]

Bei der Gründung der Forschungsstelle (1964) spielten praktische Argumente eine wesentliche Rolle. Mitentscheidend für die wissenschaftliche Qualität von Aussagen über die sprachliche Entwicklung in den beiden deutschen Staaten ist sicherlich das Vorhandensein einer nach einheitlichen Gesichtspunkten konzipierten, ausreichend großen sowie kontinuierlich weitergeführten Materialgrundlage. [. . .] Ferner setzt gerade die Beschäftigung mit den sprachlichen Unterschieden auch eine gute Kenntnis der sachlichen, d. h. der politisch-gesellschaftlichen und ideologischen Verhältnisse voraus, was eine entsprechende spezialisierte Quellensammlung erforderlich macht. Schließlich verlangt auch die in sehr verschiedenartigen Zeitschriften verstreute Literatur zu unserem Thema eine intensive Beobachtungs- und Sammeltätigkeit. Alle diese Aufgaben können mit der gebotenen Kontinuität nur von einer ständigen Forschungsstelle wahrgenommen werden, vor allem dann, wenn man verlangt, daß die Materialsammlungen sprachlicher und nichtsprachlicher Art nicht nur den eigenen, sondern auch den Arbeiten auswärtiger Wissenschaftler zugute kommen sollen.

Bei der Zusammenstellung der Materialgrundlage mußten wir von vornherein auf die Berücksichtigung des nichtveröffentlichten „privaten", insbesondere des mündlichen Sprachgebrauchs in der DDR vollständig verzichten. Der veröffentlichte, d. h. der gedruckte, Sprachgebrauch steht allerdings in bestimmten Punkten unter sehr verschiedenen Bedingungen: unter den besonderen Bedingungen der DDR und den dort allen Publikationsmitteln übertragenen Aufgaben ist zum einen mit einer wesentlich größeren Nähe des veröffentlichten Sprachgebrauchs zum Sprachgebrauch des Zentrums der politischen Willensbildung und zum anderen mit einer wesentlich größeren Einheitlichkeit des politischen Willens und damit des Sprachgebrauchs dieses Zentrums zu rechnen, als das in der BRD der Fall ist. Diese Feststellung gilt nicht in allen Bereichen gedruckter Sprache uneingeschränkt, sie gilt aber mit Sicherheit im Bereich des öffentlichen Sprachgebrauchs der Massenmedien. Untersuchungen auf der Grundlage der Massenmedien werden also, wie wir erwarten, größere Unterschiede zwischen Ost und West zeigen als Unterschiede auf der Grundlage etwa anspruchsvoller Literatur.

(MANFRED W. HELLMANN, in: M. W. H. (Hg.), Zum öffentlichen Sprachgebrauch in der Bundesrepublik Deutschland und in der DDR. Düsseldorf: Schwann-Verlag 1973, S. 15–34. Ausschnitt: S. 15, 17, 19–20)

33. Kurt H. Biedenkopf: Revolution der Gesellschaft durch Sprache

Der politische Erfolg unserer Partei wird entscheidend davon abhängen, ob es uns gelingt, eine Sprache zu finden und zu praktizieren, die unsere Sprache ist. Sprache ist nicht nur ein Mittel der Kommunikation. Wie uns die Auseinandersetzung mit der Linken zeigt, ist Sprache auch ein wichtiges Mittel der Strategie. Was sich heute in unserem Lande vollzieht, ist eine Revolution neuer Art. Es ist eine Revolution der Gesellschaft durch die Sprache.

Die gewaltsame Besetzung der Zitadellen staatlicher Macht ist nicht länger Voraussetzung für eine revolutionäre Umwälzung der staatlichen Ordnung. Revolution findet heute auf andere Weise statt. Statt der Gebäude der Regierung werden die Begriffe besetzt, mit denen sie regiert, die Begriffe, mit denen wir unsere staatliche Ordnung, unsere Rechte und Pflichten und unsere Institutionen beschreiben. Die moderne Revolution besetzt sie mit Inhalten, die es uns unmöglich machen, die freie Gesellschaft zu beschreiben, und es damit unmöglich machen, in ihr zu leben. Ist jedoch einmal der Zeitpunkt gekommen, in dem die wichtigsten unserer freiheitlichen Begriffe für die Beschreibung einer freien Gesellschaft nicht mehr taugen, dann ist die freiheitliche Gesellschaft schon deshalb zerstört, weil sie sich nicht mehr darstellen kann. [. . .]

Wir erleben heute eine Revolution, die sich nicht mit der Besetzung der Produktionsmittel, sondern der Besetzung der Begriffe bedient. Sie besetzt Begriffe und damit die Information in der freien Gesellschaft, indem sie die Medien besetzt: die Stätten also, die das Produkt herstellen, das für die Zusammenarbeit in einer freien Gesellschaft unverzichtbar ist: die politische Information. Die Schaltstellen der politischen Sprache sind besetzt von Leuten, die davon leben, daß wir uns nicht mehr direkt verstehen.

Wir müssen wieder den Mut haben, auch in der Politik deutsch zu sprechen. Wer unklar spricht, hat nichts zu sagen oder etwas zu verheimlichen. Unsere Argumente sind gut. Sie vertragen eine klare Sprache. [. . .]

Die Entwicklung unserer politischen Sprache, die Rückkehr zu klaren Begriffen, in denen Ja ja und Nein nein heißt: Auch dies ist eine zentrale Aufgabe moderner Medienpolitik.

(KURT H. BIEDENKOPF, Bericht des Generalsekretärs der CDU auf dem 22. Bundesparteitag der CDU in Hamburg vom 18. – 20. 11. 1973. In: E. v. PETERSDORFF (Hg.), Material zum Thema Politik und Sprache. Bonn: Eichholz Verlag 1973, S. 108)

34. Walter Pfuhl: Eine neue Sprache für die CDU

Die CDU will den Vorsprung der SPD in der geschickten Anwendung der Sprache, die vor allem in Wahlkämpfen entscheidend sein kann, mit Hilfe der Wissenschaft aufholen. Eine auf Anregung des CDU-Bundesvorsitzenden Kohl, seines Stellvertreters Filbinger und des Generalsekretärs Biedenkopf gebildete Projektgruppe Semantik hat ihre Arbeit mit der Analyse wichtiger Reden aufgenommen.

Dem Planungsausschuß der Projektgruppe gehören je ein Sprachwissenschaftler, ein Soziologe, ein Politikmanager und ein Datenverarbeitungsfachmann an. Der Lenkungsausschuß besteht aus Praktikern der Parteiarbeit. [. . .]

Ein Kernstück der Vorarbeit ist die Analyse wichtiger und erfolgreicher Reden, zum Beispiel von Bundeskanzler Brandt, aber auch des ehemaligen Bundeskanzlers Erhard. Der Erfolg dieser Reden, so glauben die Wissenschaftler, ist auf bestimmte sprachliche Bausteine gegründet. Zu ihnen werden in der CDU die von den Sozialdemokraten benutzten Begriffe „Barmherzigkeit" und „Wir schaffen das moderne Deutschland" gezählt.

Bis Januar 1975 sollen die CDU-Semantiker durchschlagende, der CDU gemäße Begriffe gefunden haben, die in den folgenden Wahlkämpfen angewendet werden können.

(WALTER PFUHL, Kohl: Eine neue Sprache soll der CDU Erfolg bringen. In: Die Welt (Hamburg), 30. 1. 1974, S. 5)

35. Gerold Schmidt: Sprachwandel durch die Vereinigung Europas

Schon eine kleine Untersuchung der heutigen Sprache von Politik, Wirtschaft und Recht zeigt, daß in ihr eine neue, umfangreiche, EG-bezogene Schlüsselsprache festen Fuß gefaßt und zahlreiche neue Begriffe geprägt, ebenso zahlreichen alten Begriffen aber ganz neue Inhalte untergeschoben hat. Auch die Sprache zeugt damit von den gelegentlich noch bezweifelten, tatsächlich aber unauffälligen und tiefgreifenden Erfolgen beim Aufbau eines bereits staatsähnlichen Vereinigten Europas. Die von dem neuen Staatswesen ausgehenden Wirkungen und Impulse haben nicht nur Politik, Wirtschaft und Recht der BRD verändert, sondern auch ihr lebendiges Deutsch, während das Deutsch nicht zugehöriger deutschsprachiger Staaten, wie Österreich, DDR, die Schweiz, diesen Veränderungen nicht unterliegt.

(GEROLD SCHMIDT, in: Muttersprache (Wiesbaden) 84, 1974, H. 6, S. 409–419. Ausschnitt: S. 419)

36. Gleichartigkeit der Sprache

Die Gleichartigkeit der deutschen Sprache ist unbestritten. Rechtschreibung, Satzbau und Formenlehre zeigen bis heute keine ins Gewicht fallenden Unterschiede in der Bundesrepublik Deutschland und in der DDR. Im Wortschatz sind allerdings, besonders im ideologisch-politischen Bereich, zahlreiche Neuwörter, unterschiedliche Abkürzungswörter und Bedeutungsverschiebungen festzustellen. Inwiefern durch solche Wortschatzdifferenzierungen zwischen Bürgern der

Bundesrepublik Deutschland und der DDR Verständigungsprobleme auftreten, ist eine wissenschaftlich bisher kaum untersuchte Frage.

In der Sprachwissenschaft wird gegenwärtig häufig davon ausgegangen, daß der Einfluß der jeweiligen gesellschaftlichen Werte und Normen auf die (Alltags-)Sprache nicht zu unterschätzen sei. Zwischen den Bevölkerungen in beiden deutschen Staaten bestehe heute keine volle Gemeinsamkeit im sprachlichen Medium mehr. Damit seien allerdings grundsätzlich die breiten Möglichkeiten der Information und Kommunikation in Deutschland nicht aufgehoben. Es wurden z. B. allein im Jahr 1973 aus der Bundesrepublik Deutschland in die DDR 107 Millionen Briefe und in umgekehrter Richtung 128 Millionen Briefe durch die Post befördert. Ferner kann die Bevölkerung der DDR z. B. ohne sprachliche Schwierigkeiten an dem Gesamtprogramm von Fernsehen und Rundfunk der Bundesrepublik Deutschland teilnehmen.

Die Politik der Abgrenzung der DDR wird durch diese Kommunikationsmöglichkeiten zwischen den Menschen in der Bundesrepublik Deutschland und der DDR nur vermindert wirksam.

Die Sprache bildet den vielleicht wichtigsten Träger der kulturellen Tradition, die von einer Generation auf die nächste übertragen wird. Sie umgrenzt darüber hinaus einen besonderen Bestand der Weltzivilisation, der als Nationalkultur einem Volk zugeschrieben wird.

(Materialien zum Bericht der Bundesregierung zur Lage der Nation 1974. Drucksache 7/2423 des Deutschen Bundestages. Ausschnitt: S. 73)

37. DDR-Wörterbuch enttäuscht Germanisten

Das in Ostberlin herausgegebene *Wörterbuch der deutschen Gegenwartssprache* ist für die Sprachwissenschaftler der Bundesrepublik und der anderen deutschsprachigen Länder, aber auch für die ausländischen Germanisten eine „große Enttäuschung". Dies erklärte der Präsident des Instituts für Deutsche Sprache, Mannheim, Professor Hugo Moser, anläßlich der Jahrestagung seines Instituts. Das Werk, von dem inzwischen vier Bände erschienen sind, habe nur bis zum dritten Band die politische Unparteilichkeit durchgehalten. Man könne es jetzt nur als „Wörterbuch der DDR" charakterisieren, das zudem die sprachlichen Besonderheiten Süddeutschlands, Österreichs und der Schweiz kaum berücksichtige. Diese Enttäuschung sei ein Grund dafür, daß sein Institut in Mannheim die Herausgabe eines eigenen „mehr wissenschaftlichen" Wörterbuchs in Erwägung ziehe. Der Zeitpunkt stehe jedoch noch nicht fest, zu dem man mit der Realisierung des Vorhabens rechnen könne. Die Notwendigkeit, ein solches Lexikon zu erarbeiten, hat sich, wie Moser und der Direktor des Instituts, Professor Paul Grebe, betonten, auf der Mannheimer Tagung, die sich mit Fragen der Wortsemantik und Lexikographie beschäftigte, deutlich gezeigt. Schon jetzt könne man zusichern, daß ein solches Werk „auch die Sprache der DDR" voll berücksichtigen werde.

(Deutsche Presse-Agentur [dpa], in: Süddeutsche Zeitung (München), 24. 3. 1975)

38. Die deutsche Sprache und das „wirkliche Leben"?
Zwei Erwiderungen aus der Bundesrepublik*

Sibylle Wirsing: Papierdeutsch als Nationalsprache

Die FDJ-Zeitschrift „Forum", das Parteiblatt für die Studenten der DDR, teilt ihren Lesern mit, daß ein Leipziger und ein Stuttgarter Bürger, ein Potsdamer und ein Oberammergauer, die miteinander plaudern wollen, keinen Dolmetscher brauchen. In der Sprache des Aufsatzes, der sich mit dieser deutschen Selbst-Verständlichkeit befaßt, heißt das: „Es gehört zur allgemeinen Alltagserfahrung, daß zwischen den Bürgern der DDR und der BRD eine nahezu mühelos einsetzbare sprachliche Kommunikationsfähigkeit besteht." Das Motiv für diese wunderliche Feststellung läßt sich denken. Da sich der sozialistische deutsche Staat trotz aller Distanzbemühung gegenüber der Bundesrepublik doch zu einer elementaren Nähe verstehen muß, nämlich zu derjenigen, daß man nicht umhinkann, sich dem Wort-Laut nach zu verstehen, muß wenigstens mit der Illusion aufgeräumt werden, es handele sich dabei um einen Beweis für die „Fortexistenz der deutschen Kulturnation". Die deutsche Sprache, die man mit den Österreichern, Luxemburgern, Liechtensteinern und Deutschschweizern ebenso teilt wie mit den Bundesbürgern, soll nicht länger als Handhabe dienen für eine deutschzüngige Anbiederung. Entsprechend der These, daß nicht die Sprache eine Nation bestimmt, sondern eine Nation ihre Sprache, will die DDR, die darauf hält, eine Nation für sich zu sein, auch ihr eigenes Nationalidiom haben, und zwar so entschieden, daß zumindest in dem „Forum"-Artikel die Spekulation nicht ganz ausgeschlossen wird, dieses DDR-Deutsch könne sich in einer fernen Zukunft aus dem Verband der „verschiedenen nationalsprachlichen Varianten" völlig ausgegliedert haben. Gedacht ist dabei aber nicht etwa an eine ostelbische Lautverschiebung oder, was sich ja anbieten könnte, an eine radikale Stilisierung des Sächsischen zu einer für die gesamte DDR-Bevölkerung verbindlichen und schließlich nur noch für sie verständlichen Mundart, sondern an die volle Entfaltung des ideologischen Jargons, an die fortschreitende Ablösung des vorrevolutionären Neuhochdeutschen durch einen sozialistischen Dialekt aus einheitsparteilichen Fachbegriffen, Abkürzungen, Propagandawörtern und stereotypen Wörtergefügen, für die als Beispiel oder Vorbild auch Proben angeführt werden, etwa „prinzipienfester Klassenstandpunkt", „Lenkung und Leitung", „schöpferische Verwirklichung der Aufgaben" oder „Stärkung unserer Republik". [. . .] Die Vermutung drängt sich auf, daß die absolut unsatirisch gestimmte Redaktion der FDJ-Zeitschrift von dem Verfasser des Aufsatzes furchtbar angeführt wurde. Während er vorschützt, es gehe ihm um ein linguistisches Bewußtsein für die Fortschrittsentwicklung der sozialistischen Gesellschaft, gibt er sich tatsächlich einer Befürchtung hin, deren tiefer Pessimismus womöglich übertrieben ist und in seiner Hoffnungslosigkeit an Ideologieverrat grenzt: Das Papierdeutsch der Partei als die künftige Originalsprache der DDR – das darf doch nicht wahr sein.

(SIBYLLE WIRSING, in: Frankfurter Allgemeine Zeitung, 18. 2. 1976, S. 21)

---

* Zum Beitrag von Gotthard Lerchner S. 30 ff.

Friedhelm Kemna: Die DDR entdeckt zwei deutsche Sprachen

Der Kampf der SED gegen das ideologisch unverbildete Zusammengehörigkeits-
gefühl der Deutschen in Ost und West, die sozialistische Zerlegung der Wortinhalte „Deutschland" und „Nation", produziert merkwürdige Verkrampfungen.
Das jüngste Beispiel lieferte der Germanist Gotthard Lerchner aus Halle mit seiner
Aufdeckung eigener „nationalsprachlicher Varianten" in beiden deutschen Staaten (zusätzlich zu den bestehenden Österreichs und der Schweiz).

Im „Forum", dem Intelligenzblatt des Zentralrats der FDJ, räumte Lerchner
auf mit dem „Schlagwort vom einigenden Band der deutschen Sprache". Lerchner
beachtet freilich die Tücke des Objekts: Die „oberflächliche Evidenz", die der
Klassenfeind mit psychologischem Geschick für sich beanspruche. Den Kernsatz
ringt sich Lerchner offenkundig mühsam ab: „Es gehört zur allgemeinen Alltagserfahrung, daß zwischen den Bürgern der DDR und der BRD eine nahezu mühelos
einsetzbare sprachliche Kommunikationsfähigkeit besteht."

Also doch nicht zwei „deutsche" Sprachen? Nein, das wohl nicht, meint
Lerchner und kommt zur Sache: Nichts geht, und natürlich auch nicht in der
Sprachwissenschaft, ohne Rücksicht auf die Kategorie der Gesellschaft.

Diese Erkenntnis Lerchners ist längst Allgemeingut der Branche. Was ihn
disqualifiziert, ist die wissenschaftlich verquaste Polit-Agitation gegen die Spracheinheit. Der Abgrenzungsauftrag, die „nationalsprachliche Einheit" (die tatsächlich umstritten ist) zu widerlegen, wird entsprechend dürftig erfüllt. Als besonders
beweiskräftig wird die „ideologieabhängige Bedeutungsveränderung von Wörtern wie Freiheit, Demokratie, Patriotismus oder Heimat" herangezogen. Setzt
man sie nur in den „richtigen" Zusammenhang, kommt sogar eine „eigene Norm
der Literatursprache in der DDR" heraus. [. . .]

Selbst Adjektive wie „lebensnah, vertrauensvoll, klug, selbstlos, unerschütterlich" werden für die „DDR-Norm" schlicht beschlagnahmt. [. . .] Auf diese
Weise, so will es die SED-Wissenschaft wissen, wird sich die sprachliche Welt der
Deutschen (Ost) allmählich gegen die der Deutschen (West) abgrenzen. Zur
sozialistischen Nation die sozialistische deutsche Sprache? Lerchner bremst: „Ob,
wann und wie sich diese nationalsprachlichen Varianten zu völlig eigenständigen
Sprachen ausgliedern, gehört bei den großen Zeiträumen, die Sprachentwicklungen immer für sich in Anspruch nehmen, heute noch ins Reich der Spekulationen."

Was man den Lerchners in der „DDR" glauben darf: Sie werden versuchen,
diesen Prozeß abzukürzen.

(Friedhelm Kemna, in: Die Welt, 14. 2. 1976, S. 2)

II. Texte Ost – Texte West

1. Präambeln der Verfassungen

Verfassung der Deutschen Demokratischen Republik

Fassung vom 7. 10. 1949

Von dem Willen erfüllt, die Freiheit und die Rechte des Menschen zu verbürgen, das Gemeinschafts- und Wirtschaftsleben in sozialer Gerechtigkeit zu gestalten, dem gesellschaftlichen Fortschritt zu dienen, die Freundschaft mit allen Völkern zu fördern und den Frieden zu sichern, hat sich das deutsche Volk diese Verfassung gegeben.

Fassung vom 9. 4. 1968

Getragen von der Verantwortung, der ganzen deutschen Nation den Weg in eine Zukunft des Friedens und des Sozialismus zu weisen, in Ansehung der geschichtlichen Tatsache, daß der Imperialismus unter Führung der USA im Einvernehmen mit Kreisen des westdeutschen Monopolkapitals Deutschland gespalten hat, um Westdeutschland zu einer Basis des Imperialismus und des Kampfes gegen den Sozialismus aufzubauen, was den Lebensinteressen der Nation widerspricht, hat sich das Volk der Deutschen Demokratischen Republik, fest gegründet auf den Errungenschaften der antifaschistisch-demokratischen und der sozialistischen Umwälzung der gesellschaftlichen Ordnung, einig in seinen werktätigen Klassen und Schichten das Werk der Verfassung vom 7. Oktober 1949 in ihrem Geiste weiterführend, und von dem Willen erfüllt, den Weg des Friedens, der sozialen Gerechtigkeit, der Demokratie, des Sozialismus und der Völkerfreundschaft in freier Entscheidung unbeirrt weiterzugehen, diese sozialistische Verfassung gegeben.

Fassung vom 7. 10. 1974

In Fortsetzung der revolutionären Traditionen der deutschen Arbeiterklasse und gestützt auf die Befreiung vom Faschismus hat das Volk der Deutschen Demokratischen Republik in Übereinstimmung mit den Prozessen der geschichtlichen Entwicklung unserer Epoche sein Recht auf sozial-ökonomische, staatliche und nationale Selbstbestimmung verwirklicht und gestaltet die entwickelte sozialistische Gesellschaft.

Erfüllt von dem Willen, seine Geschicke frei zu bestimmen, unbeirrt auch weiter den Weg des Sozialismus und Kommunismus, des Friedens, der Demokratie und Völkerfreundschaft zu gehen, hat sich das Volk der Deutschen Demokratischen Republik diese sozialistische Verfassung gegeben.

*

Grundgesetz für die Bundesrepublik Deutschland vom 23. 5. 1949

Im Bewußtsein seiner Verantwortung vor Gott und den Menschen, von dem Willen beseelt, seine nationale und staatliche Einheit zu wahren und als gleichberechtigtes Glied in einem vereinten Europa dem Frieden der Welt zu dienen, hat das Deutsche Volk

in den Ländern Baden, Bayern, Bremen, Hamburg, Hessen, Niedersachsen, Nordrhein-Westfalen, Rheinland-Pfalz, Schleswig-Holstein, Württemberg-Baden und Württemberg-Hohenzollern,

um dem staatlichen Leben für eine Übergangszeit eine neue Ordnung zu geben, kraft seiner verfassungsgebenden Gewalt dieses Grundgesetz der Bundesrepublik Deutschland beschlossen.

Es hat auch für jene Deutschen gehandelt, denen mitzuwirken versagt war.

Das gesamte Deutsche Volk bleibt aufgefordert, in freier Selbstbestimmung die Einheit und Freiheit Deutschlands zu vollenden.

2. Aus Parteiprogrammen

Proletarier aller Länder, vereinigt euch!

Programm der Sozialistischen Einheitspartei Deutschlands

Die Sozialistische Einheitspartei Deutschlands ist der bewußte und organisierte Vortrupp der Arbeiterklasse und des werktätigen Volkes der sozialistischen Deutschen Demokratischen Republik. Sie verwirklicht die von Marx, Engels und Lenin begründeten Aufgaben und Ziele der revolutionären Arbeiterbewegung. In ihrem Wirken läßt sie sich stets davon leiten, alles zu tun für das Wohl des Volkes, für die Interessen der Arbeiterklasse und aller anderen Werktätigen. Sie sieht ihre Aufgabe darin, die entwickelte sozialistische Gesellschaft weiter zu gestalten. Ihr Ziel ist es, die kommunistische Gesellschaft zu errichten.

Die Sozialistische Einheitspartei Deutschlands ging aus dem mehr als hundertjährigen Kampf der revolutionären deutschen Arbeiterbewegung gegen feudale Reaktion und kapitalistische Ausbeutung, gegen Imperialismus und Militarismus, Faschismus und imperialistischen Krieg hervor. Sie verkörpert die revolutionären Traditionen des Bundes der Kommunisten und der revolutionären deutschen Sozialdemokratie. Sie setzt das Werk der Kommunistischen Partei Deutschlands fort und erfüllt das Vermächtnis der antifaschistischen Widerstandskämpfer. Sie ist die Erbin alles Progressiven in der Geschichte des deutschen Volkes.

Die Sozialistische Einheitspartei Deutschlands ist eine Abteilung der internationalen kommunistischen Bewegung. Sie steht fest auf dem Boden des proletarischen Internationalismus. Sie ist brüderlich verbunden mit der Kommunistischen Partei der Sowjetunion, der erprobtesten und erfahrensten kommunistischen Partei, die in der Großen Sozialistischen Oktoberrevolution als erste die Arbeiterklasse im Bunde mit den werktätigen Bauern an die Macht führte. Unter Führung der Partei Lenins schuf das Sowjetvolk die entwickelte sozialistische Gesellschaft und beschreitet erfolgreich den Weg zum Kommunismus. Die Sowjetunion und ihre ruhmreiche Armee leisteten den entscheidenden Beitrag zur Zerschlagung des deutschen Faschismus und damit zur Befreiung des deutschen Volkes aus der faschistischen Knechtschaft, wodurch sie die Möglichkeit für seine Entwicklung auf dem Wege der Demokratie und des Fortschritts schufen.

Die im April 1946 erfolgte Vereinigung der Kommunistischen Partei Deutschlands und der Sozialdemokratischen Partei Deutschlands zur Sozialistischen Einheitspartei Deutschlands ist von historischer Bedeutung. Mit der Gründung der Sozialistischen Einheitspartei Deutschlands wurde die grundlegende Lehre aus der Geschichte der deutschen Arbeiterbewegung gezogen: Die Arbeiterklasse kann ihre historische Mission nur erfüllen, wenn sie die vom Imperialismus und Opportunismus verursachte Spaltung ihrer Reihen beseitigt, wenn sie ihre Einheit auf revolutionärer Grundlage herstellt und von einer zielklaren, geschlossenen, kampfgestählten marxistisch-leninistischen Partei geführt wird, die eng mit den Massen verbunden ist.

Geführt von der Sozialistischen Einheitspartei Deutschlands, zerbrachen die Arbeiterklasse und die werktätige Bauernschaft der Deutschen Demokratischen Republik für immer die Herrschaft der deutschen Großbourgeoisie und des Junkertums, die in unserem Jahrhundert zwei Weltkriege entfesselten. Auf der Basis der revolutionären Einheit der Arbeiterklasse wurde das Bündnis aller demokratischen Kräfte geschlossen. In einem einheitlichen revolutionären Prozeß, in erbitterter Auseinandersetzung mit der imperialistischen Reaktion und ihren Helfershelfern wurde die antifaschistisch-demokratische Umwälzung verwirklicht und die sozialistische Revolution zum Siege geführt.

Unter Führung der Sozialistischen Einheitspartei Deutschlands vollzog sich in der Deutschen Demokratischen Republik eine grundlegende Wende in der Geschichte des deutschen Volkes, die Wende zum Sozialismus. In Gestalt der Deutschen Demokratischen Republik errichtete und festigte die Arbeiterklasse im Bündnis mit den Bauern und den anderen Werktätigen ihre politische Herrschaft. Sie schuf den sozialistischen Staat der Arbeiter und Bauern als eine Form der Diktatur des Proletariats. Gestützt auf die Lehre des Marxismus-Leninismus, wurde die revolutionäre Umgestaltung der Eigentumsverhältnisse an den entscheidenden Produktionsmitteln vollzogen und eine feste politische und ökonomische Basis für die Lösung der sozialen, kulturellen und ideologischen Aufgaben der sozialistischen Gesellschaft geschaffen. Soziale Sicherheit und stetige Erhöhung des Lebensniveaus für alle Werktätigen und die Herausbildung eines neuen Bewußtseins sind grundlegende Ergebnisse des sozialistischen Aufbaus. Mit der sozialistischen Umgestaltung begann sich in der Deutschen Demokratischen Republik die sozialistische Nation herauszubilden. [. . .]

Die Sozialistische Einheitspartei Deutschlands läßt sich in ihren programmatischen Zielen und in ihrem praktischen Handeln von den durch den revolutionären Weltprozeß bestätigten allgemeingültigen Gesetzmäßigkeiten der sozialistischen Revolution und des sozialistischen Aufbaus leiten und wendet sie unter den konkreten historischen Bedingungen der Deutschen Demokratischen Republik schöpferisch an.

Im Sozialismus wird die politische Macht von der Arbeiterklasse ausgeübt. Unter Führung ihrer marxistisch-leninistischen Partei verwirklicht die Arbeiterklasse im Bündnis mit der Klasse der Genossenschaftsbauern, mit der Intelligenz und den anderen Werktätigen die Interessen des Volkes.

Der Sozialismus beruht auf dem gesellschaftlichen Eigentum an den Produktionsmitteln in seinen beiden Formen, dem gesamtgesellschaftlichen Volkseigentum und dem genossenschaftlichen Gemeineigentum. In der sozialistischen Planwirtschaft dienen die Produktionsmittel der steten Mehrung des gesellschaftlichen Reichtums im Interesse der Arbeiterklasse und aller anderen Werktätigen. Wissenschaft und Technik werden zum Nutzen der Gesellschaft entwickelt und eingesetzt.

Im Sozialismus sind die Produktionsverhältnisse, alle gesellschaftlichen Beziehungen durch bewußtes Zusammenwirken, kameradschaftliche Zusammenarbeit und gegenseitige Hilfe charakterisiert. Dadurch sind die Grundlagen geschaffen für die politisch-moralische Einheit des Volkes, für die breite Entwicklung der Initiative und Aktivität aller Werktätigen.

Der Sozialismus befreit die Werktätigen von Ausbeutung und Unterdrückung. Er braucht und verteidigt konsequent den Frieden. Für alle Mitglieder der Gesellschaft eröffnet er die Möglichkeit, ihre schöpferischen Fähigkeiten zu entfalten, eine hohe Bildung zu erwerben, ihre demokratischen Rechte und Freiheiten aktiv zur Vorwärtsentwicklung der sozialistischen Gesellschaft zu nutzen, ihre Persönlichkeit allseitig zu entwickeln. Der Sozialismus befriedigt immer besser die Lebensbedürfnisse der Werktätigen. „Jeder nach seinen Fähigkeiten, jedem nach seiner Leistung" ist ein grundlegendes Prinzip der sozialistischen Gesellschaft. Der Sozialismus gibt allen Menschen die Perspektive eines erfüllten Lebens, einer glücklichen Zukunft.

Im Sozialismus ist die wissenschaftliche Weltanschauung der Arbeiterklasse, der Marxismus-Leninismus, die herrschende Ideologie. Sozialistischer Patriotismus und proletarischer Internationalismus bestimmen immer stärker das Handeln der Menschen. Das Aufblühen der sozialistischen Nation ist verbunden mit ihrer Annäherung an die anderen Nationen der sozialistischen Staatengemeinschaft.

Die Sozialistische Einheitspartei Deutschlands nutzt die Erfahrungen, die die Kommunistische Partei der Sowjetunion und die anderen Bruderparteien bei der Schaffung der neuen Gesellschaft gewonnen haben. Die unverbrüchliche Freundschaft und Zusammenarbeit mit der Kommunistischen Partei der Sowjetunion und dem Sowjetvolk war, ist und bleibt Kraftquell und Grundlage für die Entwicklung der sozialistischen Deutschen Demokratischen Republik.

(Aus: Neues Deutschland, 25. 5. 1976, S. 3–9. Ausschnitt: S. 3)

*

Ökonomisch-politischer Orientierungsrahmen der Sozialdemokratischen Partei Deutschlands für die Jahre 1975 bis 1985

Die Ziele des demokratischen Sozialismus

Der demokratische Sozialismus erstrebt eine „neue und bessere Ordnung der Gesellschaft", „eine Gesellschaft, in der jeder Mensch seine Persönlichkeit in Freiheit entfalten und als dienendes Glied der Gemeinschaft verantwortlich am politischen, wirtschaftlichen und kulturellen Leben der Menschheit mitwirken kann." (Godesberger Programm)

Die Idee des Sozialismus umfaßt das Ziel einer neuen, besseren Gesellschaftsordnung und den Weg dorthin. Die konkrete Gestaltung von Ziel und Weg muß unter gesellschaftlichen Bedingungen, die sich unaufhörlich verändern, stets aufs neue bestimmt werden: „Der Sozialismus ist eine dauernde Aufgabe."

Die Entscheidung für den Sozialismus kann unterschiedlich begründet werden. Die Übereinstimmung demokratischer Sozialisten wurzelt nicht in einer einheitlichen religiösen, philosophischen oder wissenschaftlichen Anschauung, sondern in gleichen politischen Zielen, die auf gemeinsamen sittlichen Grundwerten beruhen. Diese Grundwerte sind: Freiheit, Gerechtigkeit und Solidarität. Die politisch-gesellschaftlichen Grundforderungen des demokratischen Sozialismus ergeben sich aus der Entscheidung für diese Grundwerte.

Freiheit bedeutet das Freisein von entwürdigenden Abhängigkeiten und die Möglichkeit, die eigene Persönlichkeit in den Grenzen, die durch die Forderungen der Gerechtigkeit und der Solidarität gezogen werden, frei zu entfalten. Freiheit ist jedoch nur dann gesellschaftliche Wirklichkeit und nicht bloß Illusion oder Vorrecht für wenige, wenn alle Menschen die tatsächliche (wirtschaftliche, politische, soziale, kulturelle) Möglichkeit der freien Entfaltung besitzen.

Gerechtigkeit verwirklicht die Freiheit jedes einzelnen, indem sie ihm gleiche Rechte und gleichwertige Lebenschancen in der Gesellschaft eröffnet.

Solidarität hat in der Geschichte der Arbeiterbewegung und des demokratischen Sozialismus eine entscheidende Rolle gespielt und ist auch heute im Kampf für eine menschlichere Gesellschaft von zentraler Bedeutung. Ökonomisch-soziale Grundlage der Solidarität ist die Notwendigkeit gesellschaftlicher Arbeitsteilung und Zusammenarbeit sowie die Nützlichkeit gemeinsamen Handelns. Solidarität kommt besonders im Zusammenhalt von Gruppen zum Ausdruck, deren Angehörige gemeinsam gegen Abhängigkeiten und Benachteiligungen zu kämpfen haben. Solidarität ist jedoch mehr als die Summe von Einzelinteressen und auch nicht nur eine Waffe im sozialen Kampf. Solidarität drückt die Erfahrung und die Einsicht aus, daß wir als Freie und Gleiche nur dann menschlich miteinander leben können, wenn wir uns füreinander verantwortlich fühlen und einander helfen. Solidarität hat für uns eine allgemeine menschliche Bedeutung; sie darf daher auch nicht an den nationalen Grenzen aufhören. Aus dem Grundwert Solidarität erwachsen für jeden Pflichten gegenüber seinen Mitmenschen und gegenüber der Gesellschaft. Im Gegensatz zu den Forderungen totalitärer, autoritärer oder pseudorevolutionärer Gemeinschaftsideologien beruht die verpflichtende Kraft unserer Idee der Solidarität nicht auf blindem Autoritätsglauben, sondern auf dem bewußten, vernünftigen Einverständnis freier Menschen.

Wer den notwendigen Zusammenhang der drei Grundwerte und ihre Gleichrangigkeit verkennt, engt sie ein, höhlt sie aus und läuft schließlich Gefahr, sie – wie im Falle der totalitären Bewegungen – zu zerstören.

– Es ist der Irrtum des Liberalismus, Freiheit und Gerechtigkeit könnten in einer Gesellschaft krasser Ungleichheit und des Kampfes aller gegen alle ohne eine die ganze Gesellschaft umfassende menschliche Solidarität geschaffen und bewahrt werden.

– Es ist der Irrtum des Konservatismus, es könne zwischen Reichen und Armen, Mächtigen und Machtlosen, Wissenden und Unmündigen wirkliche Solidarität geben und man könne die rechtlich-politische Freiheit für alle bewahren, wenn man die ökonomische, soziale und kulturelle Freiheit einer Minderheit vorbehält.

– Es ist ein Irrtum der antiautoritären Romantiker, eine freiheitliche und gerechte Ordnung sei ohne bewußte und verbindliche Anerkennung gesellschaftlicher Pflichten und solidarischer Zusammengehörigkeit möglich und nur das notwendige Ergebnis uneingeschränkter individueller Freiheit.

– Es ist der Irrtum der kommunistischen, marxistisch-leninistischen Bewegungen, es gäbe Gleichberechtigung ohne Freiheit und man könne Solidarität erzwingen.

– Es ist der Irrtum des Faschismus, man könne eine solidarische Volksgemeinschaft auf der Grundlage prinzipieller Ungleichheit der Menschen und ohne Freiheit der einzelnen errichten.

Die Grundwerte und Grundforderungen des demokratischen Sozialismus haben über die Gestaltung der ökonomisch-politischen Verhältnisse hinaus Bedeutung. Sie beziehen sich auf die gesamte gesellschaftliche Lebenswirklichkeit der Menschen. Sie stützen sich auf humanistische und christliche Tradition. Deshalb sehen wir in den Kirchen, den religiösen Gemeinschaften und den weltanschaulichen Gruppen nicht nur willkommene Partner des staatlichen oder sozialen Handelns, sondern wir erhoffen uns aus ihren Reihen auch Unterstützung im Kampf um eine menschlichere Gesellschaft.

Die Grundforderungen des demokratischen Sozialismus müssen in einer Welt durchgesetzt werden, die den Anforderungen unserer Grundwerte nicht entspricht. Gewiß sind die Unterschiede zwischen den wirtschaftlichen, sozialen und politischen Verfassungen der Erdteile und Länder tiefgreifend. Privatkapitalistische, staatswirtschaftliche und gemischtwirtschaftliche ökonomische Systeme, hochentwickelte Industriewirtschaft und primitive Agrarwirtschaft, relativer Wohlstand und drückender Mangel bestehen mit- und nebeneinander. Während auf einem kleinen Teil der Erde ein verhältnismäßig stabiles System politischer Freiheit und sozialer Sicherheit erreicht wurde, herrschen in vielen Ländern offene Unterdrückung und krasses Elend. Trotzdem ist nirgendwo das Maß an Freiheit, Gerechtigkeit und Solidarität im gesellschaftlichen Leben verwirklicht, das unter den gegebenen Verhältnissen möglich wäre. [. . .]

In der Bundesrepublik Deutschland kämpft die Sozialdemokratische Partei in Bund, Ländern und Gemeinden vor allem darum:

– den erreichten Stand geistiger und politischer Freiheit, sozialer Sicherheit und wirtschaftlichen Wohlstands zu bewahren, gegen alle Angriffe zu verteidigen und auf mehr Mitmenschlichkeit hin weiterzuentwickeln;

– den Raubbau der Natur und die zunehmende Belastung des Menschen abzubauen;

– eine stetige, von Schwankungen freiere Entwicklung der Wirtschaft bei steigender Qualität der Güter und Dienstleistungen zu bewirken;

– die Wirtschaft zu modernisieren, sektorale und regionale Strukturschwächen zu beheben und insbesondere die wirtschaftlichen, sozialen und kulturellen Benachteiligungen ländlicher Räume auszugleichen;

– wegen der politischen Bedeutung wirtschaftlicher Macht die Verfügungsgewalt in der Wirtschaft demokratisch legitimierter öffentlicher Kontrolle zu unterwerfen;

– die Mitbestimmung der Arbeitnehmer auf allen Ebenen der Wirtschaft zu verwirklichen, um damit sowohl zur demokratischen Kontrolle wirtschaftlicher Verfügungsmacht als auch zur Überwindung der Fremdbestimmung in der Gesellschaft beizutragen;

– Einkommen, Vermögen und Teilhabe an den Gemeinschaftsleistungen ohne Rücksicht auf Herkunft, soziale Stellung oder Geschlecht gerechter und gleichmäßiger zu verteilen;

– allen Menschen – ungeachtet ihrer unterschiedlichen Herkunft und sozialen Stellung – durch Ausbau, Fortentwicklung und Reform des Schul-, Ausbildungs- und Fortbildungswesens die gleiche Möglichkeit der freien Entwicklung und gesellschaftlich-politischen Selbstbestimmung zu geben;

– jedem Menschen einen seinen Fähigkeiten angemessenen Arbeitsplatz zu sichern und die Arbeitsbedingungen humaner zu gestalten;

– die überlieferte gesellschaftliche Benachteiligung der Frauen abzubauen und beiden Geschlechtern gleichwertige Möglichkeiten zur Selbstverwirklichung in Beruf, Familie und in der Wahrnehmung öffentlicher Ämter und Funktionen zu sichern;

– für alle in der Gesellschaft benachteiligten Gruppen gleiche Lebenschancen und eine gleichberechtigte Stellung in der gesellschaftlichen Arbeitsteilung zu erreichen;

– den Schwächsten in unserer Gesellschaft, insbesondere den Kindern, den Alten und den Behinderten einen menschenwürdigen Entwicklungs- und Lebensraum zu schaffen;

– für alle Bürger die erforderliche Gesundheitsvorsorge und eine gleichwertige Versorgung im Falle der Krankheit zu garantieren;

– die Lebensbedingungen in unseren Gemeinden und Verdichtungsgebieten menschlicher zu machen.

Um diese Ziele zu erreichen, kämpft die Sozialdemokratische Partei auf friedlichem, gesetzmäßigem, demokratischem Wege, durch offene Diskussion und freie Wahlen um die politische Macht in Bund, Ländern und Gemeinden. Sie verteidigt die Institutionen des Rechtsstaates und der parlamentarischen Demokratie. Sie wirkt für ihren Ausbau, um mehr Selbstbestimmung aller Bürger zu ermöglichen.

Gesellschaftliche Selbstbestimmung läßt sich freilich ohne aktive Anteilnahme und Selbstverantwortung der Menschen nicht verwirklichen. Die Politik des demokratischen Sozialismus ist durch staatliche Maßnahmen und durch die Partei allein nicht durchzusetzen. Sie bedarf einer breiten Bewegung in der gesamten Gesellschaft.

(Aus: Ökonomisch-politischer Orientierungsrahmen für die Jahre 1975–1985 in der vom Mannheimer Parteitag der SPD am 14. November 1975 beschlossenen Fassung. Bonn 1975, S. 8–9, 16–17)

Mannheimer Erklärung des Bundesvorstandes der Christlich Demokratischen Union Deutschlands

Unsere Politik für Deutschland

Präambel

Die CDU hat nach dem Zweiten Weltkrieg in Regierungsverantwortung unter Führung von Konrad Adenauer, Ludwig Erhard und Kurt Georg Kiesinger die politische Grundordnung der Bundesrepublik Deutschland entscheidend gestaltet und die Voraussetzungen für den Wiederaufbau unseres Landes und seine Aufnahme in die Gemeinschaft freier Völker geschaffen. Ihre Politik hatte das Ziel, eine freiheitliche und demokratische Grundordnung aufzubauen und zu sichern und eine freiheitliche und sozialverpflichtete Ordnung, die Soziale Marktwirtschaft, zur Grundlage und zum Maßstab der Wirtschafts- und Gesellschaftspolitik zu machen. Die Politik der CDU brachte inneren und äußeren Frieden, Freiheit, Sicherheit, soziale Gerechtigkeit und wirtschaftlichen Wohlstand.

Die veränderten Verhältnisse in der Welt und politische Fehlentwicklungen in unserem Lande gefährden heute das Erreichte. In diesen Veränderungen liegen jedoch auch Chancen, wenn es uns gelingt, auf die Herausforderungen unserer Zeit neue und zukunftsweisende Antworten zu geben. *Die CDU sieht ihren politischen Auftrag darin, gemeinsam mit allen zur Verantwortung bereiten Kräften die Ziele des freien Teils Deutschlands zu bestimmen und politisch zu verwirklichen.*

Unverzichtbare Grundlage für diese Politik ist unsere freiheitlich-demokratische Grundordnung, die es zu sichern und zu erhalten gilt. *Die CDU versteht die Demokratie als eine dynamische, fortzuentwickelnde politische Ordnung, die die Mitwirkung der Bürger gewährleistet und ihre Freiheit durch Verteilung und Kontrolle der Macht sichert und deren Mißbrauch verhindert.* Diese Ordnung muß für den einzelnen durchschaubar sein; sie kann nur verwirklicht werden, wenn sich die Bürger für ihre Gestaltung verantwortlich fühlen und sich aktiv und opferbereit daran beteiligen. Die CDU will den gesellschaftlichen Fortschritt fördern und die Bedingungen für eine freie Selbstentfaltung der Person schaffen. Diese Politik für Deutschland geht aus von der nüchternen Bestandsaufnahme der Situation in unserem Land und in der Welt. Vor diesem Hintergrund vertreten wir eine Politik, die es dem einzelnen auch unter veränderten Lebensbedingungen ermöglicht, sich in der Gemeinschaft zu entfalten, seine persönlichen Lebensziele zu verwirklichen und zum Wohle des Ganzen beizutragen.

Grundaussagen unserer Politik:

1. Die tiefgreifenden Veränderungen der politischen und wirtschaftlichen Situation [. . .] stellen die Bundesrepublik Deutschland im außen- und innenpolitischen Bereich vor neue und große Herausforderungen. Die Bewältigung dieser Herausforderungen erfordert neue Ideen, eindeutige Prioritäten und entschlossenes politisches Handeln. Die CDU orientiert sich bei der Bewältigung dieser Herausforderungen an den Grundwerten einer freiheitlichen und sozial gerechten Politik.

2. *Die neuen politischen, wirtschaftlichen und gesellschaftlichen Herausforderungen können nur bewältigt werden, wenn wir in unserer Politik dem unauflösbaren Zusammenhang von Innen- und Außenpolitik Rechnung tragen.* Spannungen und Konflikte im Inneren beeinträchtigen unsere Fähigkeit und Bereitschaft, Freiheit und Unabhängigkeit gegen alle Angriffe zu verteidigen. Umgekehrt kann aber auch eine freiheitliche, wirtschaftlich gesunde und sozial gerechte Gesellschaft ohne wirksame Außen- und Sicherheitspolitik auf Dauer nicht bestehen.

3. *Ziel unserer Deutschlandpolitik ist die Erhaltung der Einheit der Nation und die Erringung von Freiheit und Einheit für das ganze deutsche Volk.* Unserer Deutschlandpolitik liegt die Entscheidung des Bundesverfassungsgerichtes zum

Grundvertrag und die gemeinsame Resolution aller Fraktionen des Deutschen Bundestages vom 17. Mai 1972 zugrunde. Die Bundesrepublik Deutschland mit West-Berlin als freier Teil Deutschlands ist Treuhänder der Selbstbestimmung, einer freiheitlichen Verfassung sowie der menschlichen und politischen Grundrechte für alle Deutschen.

4. *Voraussetzung für den Bestand der Bundesrepublik Deutschland in Freiheit ist ein freies und geeintes Europa.* Nur durch ein geeintes und damit handlungsfähiges Europa können wir unsere eigene nationale Handlungsfähigkeit wiedererlangen, die wir in wichtigen Bereichen verloren haben. Die Einigung Europas erfordert die alsbaldige Schaffung einer freien und sozialen europäischen Wirtschafts- und Gesellschaftsordnung. [. . .]

5. *Frieden und Freiheit müssen gegen militärische Bedrohung gesichert werden.* Die Bundesrepublik Deutschland und das freie Europa können ihre Sicherheit und ihre Unabhängigkeit nur im Bündnis mit den Vereinigten Staaten bewahren. Deshalb müssen die Leistungsfähigkeit und Verteidigungskraft des Atlantischen Bündnisses gestärkt werden. [. . .]

7. *Ziel unserer Ostpolitik sind die Sicherung des Friedens in Europa und die Aufrechterhaltung unserer politischen Unabhängigkeit, Handlungsfähigkeit und Souveränität gegenüber den Staaten Osteuropas.* [. . .] Wir wünschen Frieden mit allen Völkern, auch mit der Sowjetunion. Eine politische Verständigung zwischen Deutschland und der Sowjetunion wird dann dauerhaft sein, wenn sie auf der gegenseitigen Achtung aufbaut und frei ist von Streben nach Hegemonie.

8. *Die Bewältigung des Wandels in Freiheit ist für uns eine zentrale politische Aufgabe.* Im Bereiche der Wirtschafts- und Gesellschaftspolitik gewährleistet die Soziale Marktwirtschaft besser als jede andere Wirtschafts- und Gesellschaftsordnung die notwendigen Anpassungen an die veränderten Umweltbedingungen. *In der gegenwärtigen Lage ist das wichtigste Ziel unserer Wirtschaftspolitik die Wiederherstellung des gesamtwirtschaftlichen Gleichgewichts.* [. . .]

9. *Oberstes Ziel unserer Gesellschaftspolitik ist die Stärkung der Stellung des einzelnen in der Gesellschaft.* Unsere Politik im Bereich der Mitbestimmung, der Vermögensbildung, der beruflichen Bildung, der Humanisierung im Arbeitsleben und des Unternehmensrechts dient diesem Ziel. Durch unsere Familien- und Bildungspolitik schaffen wir wesentliche Voraussetzungen für die Entfaltung des einzelnen in der Gesellschaft. Wir orientieren uns dabei an den gesellschaftlichen Anforderungen und Möglichkeiten. *Zugleich wenden wir uns der Neuen Sozialen Frage zu, die durch den veränderten Konflikt zwischen organisierten und nichtorganisierten Interessen und die unausgewogene Verteilung sozialer Lasten und Leistungen entstanden ist.* Wir werden die Interessen der Bedürftigen und Schwachen in unserer Gesellschaft noch stärker als bisher vertreten.

10. *Vorrangige Aufgabe des Staates ist es, die öffentlichen und privaten Rechte des Bürgers zu schützen. Deshalb ist die Fähigkeit von Staat und Gesellschaft, die ihnen gestellten Aufgaben zu erfüllen, zu verbessern.*

Dabei hat der Staat nicht die Aufgabe, für die Bürger eine Unzahl wirtschaftlicher Dienstleistungen zu erbringen. Vielmehr hat er die politischen Ziele der Gemeinschaft zu bestimmen, das Gemeinwesen nach den Grundsätzen der Freiheit und sozialen Gerechtigkeit zu gestalten und weiterzuentwickeln, gegen Angriffe und Bedrohungen von außen zu schützen und im Inneren Freiheit, Sicherheit und den Rechtsfrieden zu wahren. *Wir sind davon überzeugt, daß viele Aufgaben, die heute vom Staat wahrgenommen werden, besser und billiger durch private Träger gelöst werden können. Wir bauen auf die Dynamik privater Initiativen.*

(Aus: Argumente – Dokumente – Materialien der CDU, Nr. 5408. Bonn 1975, S. 7–10)

3. Ehrungen für deutsche Politiker: Berichte und Beiträge zum 100. Geburtstag von Wilhelm Pieck und Konrad Adenauer

Wilhelm Pieck, Präsident der Deutschen Demokratischen Republik von 1949–1960

Festveranstaltung zu Ehren des 100. Geburtstages von Wilhelm Pieck

Sein Leben und Wirken sind uns Ansporn bei der Lösung der Aufgaben unserer Zeit
Erich Honecker in seiner Festansprache: Die Erfahrungen des großen Arbeiterführers begleiten uns auf dem Weg zum IX. Parteitag der SED
Aufführung des Dokumentarfilms „Wilhelm Pieck – Sohn des Volkes"

Berlin (ND). Zum 100. Geburtstag von Wilhelm Pieck fand am Freitag in der Staatsoper zu Berlin eine Festveranstaltung des Zentralkomitees der Sozialistischen Einheitspartei Deutschlands, des Staatsrates, des Ministerrates und des Nationalrates der Nationalen Front statt. In seiner Festansprache würdigte der Erste Sekretär des ZK der SED, Erich Honecker, das Lebenswerk Wilhelm Piecks, des Kampfgefährten von Karl Liebknecht und Rosa Luxemburg, des Mitbegründers der Kommunistischen Partei Deutschlands, des langjährigen Vorsitzenden der KPD, des Vorsitzenden der SED und des ersten Präsidenten der DDR.

„Das Leben und Wirken von Wilhelm Pieck", erklärte Erich Honecker unter starkem Beifall, „dieses revolutionäre Kämpferdasein, in dem Wort und Tat stets eine Einheit waren, ist für jeden von uns, für unsere Partei und unser Volk Vorbild und Ansporn bei der Lösung der Aufgaben unserer Zeit. Die Erfahrungen dieses langen, harten und erfüllten Lebens im Dienst an der Sache der Arbeiterklasse werden uns immer teuer sein. Sie sind eingegangen in den Alltag der deutschen Demokratischen Republik, und sie begleiten uns auch auf jener Wegstrecke, die zu unserem IX. Parteitag führt."

Im Präsidium der Festveranstaltung, zu deren Beginn die Hymne der DDR erklang, hatten unter dem mit der roten Fahne der Arbeiterklasse und dem Staatsbanner der DDR geschmückten Bildnis Wilhelm Piecks gemeinsam mit Erich Honecker Platz genommen: die Mitglieder des Politbüros des ZK der SED Willi Stoph, Vorsitzender des Staatsrates, Horst Sindermann, Vorsitzender des Ministerrates, Hermann Axen, Friedrich Ebert, Gerhard Grüneberg, Kurt Hager, Werner Krolikowski, Werner Lamberz, Günter Mittag, Erich Mückenberger, Alfred Neumann, Albert Norden, Harry Tisch, Paul Verner, die Kandidaten des Politbüros Werner Felfe, Joachim Herrmann, Werner Jarowinsky, Günther Kleiber, Inge Lange, Erich Mielke, Margarete Müller, Konrad Naumann, Gerhard Schürer und der Sekretär des ZK Horst Dohlus.

Im Präsidium der Festveranstaltung wurden weiter begrüßt: der Präsident der Volkskammer, Gerald Götting, Vorsitzender der CDU, der Präsident des Nationalrates der Nationalen Front, Prof. Dr. Dr. Erich Correns; die Stellvertreter des Vorsitzenden des Staatsrates Dr. Manfred Gerlach, Vorsitzender der LDPD, Prof. Dr. Heinrich Homann, Vorsitzender der NDPD, und Hans Rietz; die Stellvertreter des Vorsitzenden des Ministerrates Manfred Flegel, Wolfgang Rauchfuß, Rudolph Schulze und Dr. Herbert Weiz sowie der Vorsitzende der DBD, Ernst Goldenbaum; herzlich begrüßt wurden weitere Mitglieder und Kandidaten des ZK der SED, Mitglieder des Ministerrates, unter ihnen Otto Arndt, Dr. Karl Bettin, Prof. Hans-Joachim Böhme, Dr. Kurt Fichtner, Oskar Fischer, Hans-Joachim Hoffmann, Margot Honecker, Horst Kaminsky, Erhard Krack, Heinz Matthes, Prof. Dr. Ludwig Mecklinger, Otfried Steger, Günther Wyschofsky, Mitglieder des Präsidiums der Volkskammer, des Staatsrates und des Präsidiums des Nationalrates. Zu den Teilnehmern zählten Vertreter weiterer gesellschaftlicher Gremien, Generale und Offiziere der bewaffneten Kräfte der DDR, unter ihnen der Stadtkommandant der Hauptstadt, Generalleutnant Artur Kunath.

Ehrengäste der Festveranstaltung waren die Töchter Wilhelm Piecks, Elly Winter und Eleonore Staimer. Unter verdienstvollen Veteranen der Partei der Arbeiterklasse waren die einstigen Gefährten Wilhelm Piecks Franz Dahlem und Elli Schmidt. Mitglieder des Diplomatischen Korps waren mit ihrem Doyen, dem KVDR-Botschafter, Ri Dzang Su, erschienen. Zugegen waren der Oberkommandierende der Gruppe der sowjetischen Streitkräfte in Deutschland, Armeegeneral Jewgeni Iwanowski, und das Mitglied des Militärrates und Chef der Politischen Verwaltung der Gruppe, Generaloberst Iwan Mednikow.

Eingeladen waren bewährte Werktätige von Kombinaten und Betrieben sowie Abordnungen von Schulen, deren Kollektive den Ehrennamen des ersten Präsidenten der DDR tragen.

„Das Entstehen und Gedeihen der Deutschen Demokratischen Republik krönte das Kämpferleben unseres Genossen Wilhelm Pieck", erklärte Erich Honecker in seiner Festansprache. „In unseren sozialistischen Staat der Arbeiter und Bauern ist sein Vermächtnis eingegangen. Es lebt in den Zielen, Erfahrungen und Erfolgen unserer Partei, lebt in den Taten der Kommunisten unseres Landes, in den Leistungen der Arbeiter, der Genossenschaftsbauern, der Angehörigen der Intelligenz und aller anderen Werktätigen. Im Elan der Jugend ist es ebenso gegenwärtig wie im Lerneifer der Thälmannpioniere.

Den 100. Geburtstag von Wilhelm Pieck", sagte der Redner weiter, „begeht die Deutsche Demokratische Republik als ein stabiler und leistungsfähiger Staat, in dem die entwickelte sozialistische Gesellschaft gestaltet wird und Voraussetzungen für den allmählichen Übergang zum Kommunismus geschaffen werden." Er verwies darauf, daß die DDR brüderlich mit der Sowjetunion, die erfolgreich den kommunistischen Aufbau fortsetzt, verbunden und in der sozialistischen Staatengemeinschaft fest verankert ist. Aktiv trage sie zur Gewährleistung eines dauerhaften Friedens und der Sicherheit der Völker bei und leiste antiimperialistische Solidarität. Weltweit völkerrechtlich anerkannt, genieße die Deutsche Demokratische Republik die Achtung der friedliebenden Menschen der Welt.

Nach der mit starkem Beifall aufgenommenen Festansprache des Ersten Sekretärs des ZK der SED und dem gemeinsamen Gesang der „Internationale" leitete der Singeklub „Freundschaft" des VEB Elektromotorenwerk Dessau zur festlichen Aufführung des DEFA-Dokumentarfilms „Wilhelm Pieck – Sohn des Vol-

kes" über. Der 60-Minuten-Film gibt an Hand von Dokumenten und histori-
schem Filmmaterial einen biographischen Abriß eines Lebens im Dienste der
Arbeiterklasse und des ganzen Volkes.

(Aus: Neues Deutschland, 3./4. 1. 1976, S. 1)

Als Kommunist für das Glück des Volkes

Werktätige gedachten des 100. Geburtstages von Wilhelm Pieck

Berlin (ND). In vielen Städten und Betrieben fanden am Freitag festliche
Veranstaltungen statt, in denen die Bürger das Andenken Wilhelm Piecks ehrten.
Kollektive der Werktätigen gedachten des großen Arbeiterführers, indem sie sich
in seinem Sinne neue Leistungen zur weiteren Stärkung des sozialistischen Staates
und zur ständigen Hebung des materiellen und kulturellen Lebensniveaus des
Volkes zum Ziel setzten. Unsere Korrespondenten berichten:

Cottbus. Auch der Bezirk Cottbus ist ein beredtes Zeugnis dafür, wie die DDR
täglich das Vermächtnis Wilhelm Piecks verwirklicht, stets feste Freundschaft mit
der Sowjetunion zu halten, erklärte Werner Walde, Mitglied des ZK der SED und
1. Sekretär der Bezirksleitung, auf der Cottbuser Festveranstaltung. Die Leningra-
der Turbinen, die in Boxberg Strom für die DDR und das Verbundnetz der
sozialistischen Staaten liefern, und die Bagger aus Lauchhammer, die in Sowjet-
Kasachstan Kohle fördern, zeugen davon.

Erfurt. Alois Bräutigam, Mitglied des ZK der SED und 1. Sekretär der Bezirksleitung Erfurt, würdigte das kampferfüllte Lebenswerk und die menschliche
Größe Wilhelm Piecks. Er unterstrich den hervorragenden Beitrag, den der Arbeiterführer zur Vereinigung der beiden Arbeiterparteien in Thüringen geleistet hat.
Von besonderer Bedeutung war dabei sein Auftreten in Erfurt und Eisenach und
gemeinsam mit Otto Grotewohl auf dem Vereinigungsparteitag in Gotha.

Gera. In den täglichen Leistungen der Werktätigen zur Stärkung des Sozialismus und zur Festigung des Friedens finden jene Ideale ihre Verkörperung, für die
Wilhelm Pieck sein Leben lang unbeugsam und aufopferungsvoll gekämpft hat,
sagte Herbert Ziegenhahn, Mitglied des ZK der SED und 1. Sekretär der Bezirksleitung, auf der Geraer Festveranstaltung.

Potsdam. Die Menschen liebten ihn wie einen Vater, sagte der Sekretär der
Bezirksleitung Potsdam der SED Erwin Skeib in der Festveranstaltung des Bezirks.
Wilhelm Piecks Leben und Wirken war das eines mutigen, aufrechten und beharr-
lichen Arbeiterführers. [. . .]

Wilhelm-Pieck-Stadt Guben. In einem feierlichen Appell am Vorabend des
100. Geburtstages Wilhelm Piecks legte die Jugend des Kreises Guben vor der
Kreisleitung der SED Rechenschaft darüber ab, wie sie bisher zur Vorbereitung
des IX. Parteitages der SED beigetragen hat. Junge Rationalisatoren und Neuerer
des Kreises gewannen mit ihren Ideen und Initiativen im zurückliegenden Jahr
Materialreserven im Werte von 4,1 Millionen Mark sowie 112 000 Arbeits-
stunden.

Die 2000 Mädchen und Jungen waren in einem Fackelzug zum Appellplatz vor
der Wilhelm-Pieck-Oberschule marschiert. Sie versprachen der Partei der Arbei-

terklasse, auch künftig das Vermächtnis des großen Freundes der Jugend und Sohnes ihrer Stadt durch ihr revolutionäres Bekenntnis in Wort und Tat zu erfüllen. Für 25 junge Arbeiterinnen und Arbeiter wurde der Gedenkappell zu einem besonderen Höhepunkt: Aus den Händen von Mitgliedern der Kreisleitung und verdienter Arbeiterveteranen erhielten sie ihre Kandidatenkarte.

Hettstedt. Auf einem Arbeitermeeting in der Hettstedter Kupfer-Silber-Hütte weihten die Werktätigen des Mansfeld Kombinates „Wilhelm Pieck" eine Gedenkstätte für den ersten Arbeiterpräsidenten unseres Landes ein. Ein Relief, das von Volkskünstlern des Kombinats geschaffen und in Mansfelder Kupfer gegossen wurde, trägt seine Worte: „Macht die deutsch-sowjetische Freundschaft zur Herzenssache!"

Im Namen der Hüttenwerker bekräftigte der Verdiente Aktivist Gustav Lüdecke, daß die Kumpel ihre guten Wettbewerbsergebnisse fortsetzen werden. Zu Ehren des IX. Parteitages der SED wollen sie über vier Millionen Mark Nutzen aus der Neuerertätigkeit erzielen. [. . .]

Suhl. Den Ehrennamen „Wilhelm Pieck" erhielt das Wohnungsbaukombinat Suhl. Die über 3000 Werktätigen des Kombinates haben seit dem VIII. Parteitag der SED ihre Bauleistungen um mehr als 34 Prozent gesteigert.

(Aus: Neues Deutschland, 3./4. 1. 1976, S. 2)

*

Konrad Adenauer, Bundeskanzler der Bundesrepublik Deutschland von 1949–1963

Der Bundestag würdigt die Leistungen Konrad Adenauers

Feierstunde im Parlament/Scheel hebt historische Verdienste hervor/Fernsehansprache Schmidts

hls. BONN, 5. Januar. Die führenden Vertreter von Regierung, Parteien und Verbänden haben am Montag des ersten Kanzlers der Bundesrepublik, Konrad Adenauer, der vor hundert Jahren am 5. Januar 1876 geboren worden war, gedacht. Adenauer regierte die Bundesrepublik von 1949 bis 1963. Hervorstechende Zeichen der Erinnerung und des Gedenkens waren ein Festakt im Bundestag, eine Messe im Kölner Dom und Kranzniederlegungen in Rhöndorf, wo Adenauer 1967 begraben wurde.

Beim Festakt im Plenarsaal des Bundestages sprachen Bundespräsident Scheel, Bundestagspräsidentin Renger (SPD), als Vertreter des im Urlaub befindlichen Bundeskanzlers Außenminister Genscher (FDP) und als vierter Nachfolger Adenauers an der Spitze der CDU der Vorsitzende der Partei, Kohl. Bundeskanzler Schmidt selbst würdigte den ersten Kanzler, dessen Politik von den drei im Bundestag vertretenen Parteien durchweg als „prägend" bezeichnet wurde, in einer am Montagabend ausgestrahlten Fernseherklärung.

Bundespräsident Scheel schilderte in einer von persönlichem Erleben geprägten Rede den ersten Kanzler, deutete Fehler an, nahm Adenauer damit aber durchaus nichts von seiner heute im Gegensatz zum Streit der früheren Jahre in der Bundesrepublik allgemein anerkannten Größe und Bedeutung. Scheel wandte sich gegen simplifizierende Klischeevorstellungen vom bocciaspielenden und krimilesenden

Adenauer. Scheel sagte, Adenauer werde falsch gezeichnet, wenn man ihn lediglich als listenreichen Taktiker, aber geistig unbeweglichen und auf wenige Grundideen eingeschworenen Politiker darstelle. Adenauer sei keineswegs unempfänglich für andere Meinungen und für begründete Alternativen gewesen. Er sei eine Doppelnatur gewesen, Idealist und Realist, ein Machtpolitiker und ein von moralischen Grundsätzen bestimmter Staatsmann. Er habe bei der Durchsetzung seiner Auffassung vor keinem taktischen Zug zurückgescheut, habe verletzt und auch den persönlichen Angriff als politische Waffe nicht ausgeschlossen. In der praktischen Politik sei Adenauer mit seinem Sinn für Tatsachen mit der Fähigkeit, in der Demokratie mit Autorität zu führen, unbestritten ein Meister gewesen. Scheel erinnerte an Adenauers ausgeprägtes Pflichtgefühl. Seine Verbundenheit mit der Natur und seinem Garten hätten in ihm den Sinn für Entwicklung, Evolution und Geduld reifen lassen.

Bei allem Respekt und der auch für Adenauer als Rheinländer erkennbaren Sympathie verzichtete Scheel keineswegs auf kritische Anmerkungen. Als er die Last der Verantwortung an andere habe abgeben sollen, sei Adenauer deutlich geworden, daß die geistigen Orientierungspunkte seiner Politik von der Mehrheit nicht mehr als selbstverständliche Wegweisung verstanden wurden. Der Gedanke, die Zeit sei für einen Machtwechsel reif, hätte ihn zutiefst erschreckt. Scheel sprach auch von Fehlern Adenauers in der Innenpolitik, vor allem im Umgang mit den Parteien, die bis heute weiter wirkten. [. . .]

In Scheels Bilanz der Innen- und Außenpolitik Adenauers überwog bei weitem das Positive. Die Bürger der Bundesrepublik hätten nicht vergessen, daß Adenauer die Bundesrepublik 14 Jahre lang regiert, sie gefestigt und ihr einen Platz in Europa und der Welt gesichert habe. In der politischen Bewertung des Fortwirkens der Adenauerschen Politik, vor allem der Außenpolitik, teilte Scheel die von SPD und FDP vertretene, von CDU und CSU jedoch stets bestrittene Meinung, daß die Ostpolitik der Regierung Brandt/Scheel in der Kontinuität der Westpolitik Konrad Adenauers stehe.

Durch die Ansprachen von Frau Renger, Außenminister Genscher und dem CDU-Vorsitzenden Kohl waren zugleich die drei Parteien vertreten, mit denen auch Adenauer während seiner Regierungszeit zu arbeiten hatte. Bundestagspräsidentin Renger, von 1945 bis 1952 Sekretärin Kurt Schumachers, erinnerte an die Gegnerschaft des SPD-Vorsitzenden Kurt Schumacher zu Adenauer. Sie nannte es eine glückliche Fügung, daß in den Anfängen der Bundesrepublik zwei so starke und unterschiedliche Persönlichkeiten das Parlament zum Forum gemacht hätten, auf dem um die großen Fragen der Nation gerungen worden sei.

Auch Bundesaußenminister und Vizekanzler Genscher bekräftigte, Adenauer habe „unbestritten" die Notwendigkeit gesehen, die Politik der Integration in den Westen durch eine Politik des Ausgleichs mit dem Osten zu ergänzen. Die Kontinuität der Adenauerschen Außenpolitik sei auch im Grundprinzip, sich in keiner Weise von Verbündeten und Freunden zu isolieren, gesichert. Seit Adenauer sei die deutsche Außenpolitik Friedenspolitik.

Der CDU-Vorsitzende und Kanzlerkandidat der Unionsparteien, Kohl, sagte, Adenauer habe in seiner Politik nie außer acht gelassen, daß sich freiheitlich-demokratische Ordnung und kommunistische Ideologie gegenseitig ausschlössen. Sein politischer und moralischer Realismus habe ihn vor jener Ernüchterung bewahrt, „die sich jetzt trotz Ostverträgen und europäischer Sicherheitskonferenz allenthalben ausbreitet".

Der Plenarsaal des Bundestages war für den Festakt mit gelbroten Blumenarrangements geschmückt. Eingeladen waren ehemalige Minister, Parlamentarier, Mitglieder des Parlamentarischen Rates, Familienangehörige, das Diplomatische Korps, Vertreter der Parteien (für die SPD kam Bürgermeister Koschnick, für die CSU Franz Josef Strauß). Man sah nebeneinander Adenauers Nachfolger Erhard und Kiesinger, während Willy Brandt fehlte, der eingeladen war, aber seinen Urlaub in Österreich nicht unterbrechen mochte. Von Brandt wurde am Montag allerdings ein schriftliches dpa-Interview in Bonn verbreitet, in dem die Union abermals als „Sicherheitsrisiko" bezeichnet wurde. [. . .]

Bundeskanzler Schmidts Fernseherklärung war schon vor längerer Zeit aufgezeichnet worden und den Fernsehanstalten mit dem Hinweis auf das Mitteilungsrecht des Bundeskanzlers zur Ausstrahlung übergeben worden. Dies hatte die CDU verärgert, so daß sie durchsetzte, daß von ihrer Adenauer-Gedenkstunde am Sonntag in der Beethoven-Halle zu Bonn längere Ausschnitte aus der Rede des Parteivorsitzenden Kohl gesendet wurden.

In der Fernsehansprache sagte Bundeskanzler Schmidt, Adenauer habe seinen politischen Gegnern „manche Wunden geschlagen, die lange nicht vernarben wollten". Zugleich sehe er in Adenauer aber „den bisher einzigen großen Gegner", den die Sozialdemokratie in der Bundesrepublik gehabt habe. In den letzten Jahren seines Lebens habe Adenauer die Einsicht zu erkennen gegeben, daß die Aussöhnung mit dem Westen auch in Richtung Osten ergänzt werden müsse. [. . .] Adenauers überragende politische Leistung sei die Eingliederung der Bundesrepublik in die Gemeinschaft des Westens gewesen. Die von ihm als „Europäer der Tat" gesicherte gleichberechtigte Mitwirkung der Bundesrepublik in der Europäischen Gemeinschaft und im Nato-Verteidigungsbündnis sei ein unveränderter Grundpfeiler der jetzigen Bonner Politik, sagte Schmidt.

(Aus: Frankfurter Allgemeine Zeitung, 6. 1. 1976, S. 1–2)

Er war unser

In dem Auf und Ab ihrer Geschichte tun sich die Deutschen schwer mit Bekenntnissen zu großen Männern und Persönlichkeiten. Drei- oder viermal haben sie seit 1914 mit den Fahnen und Nationalhymnen viele historische Namen auf den Straßenschildern geändert oder ändern müssen, ein Zeichen ihrer Unsicherheit gegenüber Geschichtsfiguren. Um so bemerkenswerter war der Festakt zu Ehren des 100jährigen Konrad Adenauer im Plenarsaal des Bundestages. Die deutschen Parteien bekannten sich allseits zu ihm, wenn auch auf unterschiedliche Weise.

Jeder der Gedenkredner suchte zunächst nach einer Selbstbestätigung. Die aktuellen Verwertungsversuche verliefen nach dem Motto: Wir und Adenauer. Bundespräsident Scheel vermied es noch, den ersten Bundeskanzler direkt für die Ostpolitik zu reklamieren, die er als Außenminister eine zeitlang mitbestimmte. Der FDP-Vorsitzende Genscher dagegen und auch Bundeskanzler Schmidt stellten Adenauer als Vorläufer ihrer Deutschland- und Ostpolitik vor, die seit ihrer Ernüchterung sicherlich verwandte Züge aufweist. Auch für die Polenverträge wurde Adenauer – gegen seine Partei – in Anspruch genommen. Ein ehrwürdiger Toter ist auslegungsfähig, schon weil er sich nicht wehren kann.

Unterschiedlich war auch die persönliche Wertung, die Scheel, Genscher, Schmidt und der CDU-Vorsitzende Kohl vornahmen. Die Akzente verschoben sich. Scheel sprach von einem Patriarchen, hielt sich also an das Oberhaupt einer weitverzweigten, mit Nachkommen bei der Gedenkfeier anwesenden Familie. Kohl rühmte den „deutschen Patrioten" in der nationalen Tonart, die seine Partei im Wahljahr 1976 anzuschlagen beabsichtigt. Sie kann sich dabei auf Adenauers bittere Klage über einen Mangel an deutschem Nationalgefühl berufen. Schmidt rühmte Adenauers untrügliches Gefühl für das Notwendige. Er schien ihn zu einem Macher oder Vormacher zu befördern, Titel, mit denen Schmidt eine zeitlang selbst belegt wurde. So spiegelten sich die Gesichter und Absichten von Politikern und Parteien in dem Gefeierten, nach Abzug des Pathetischen durchaus im Sinne der bei Gedächtnisreden gebräuchlichen Wendung: Denn er war unser! Am untrüglichsten ergeben sich Größe und Bedeutung Adenauers aus dem allseitigen Eifer, ihn nicht den anderen zu überlassen.

Maßstäbe wurden gesetzt, denen sich der CDU-Vorsitzende Kohl, der sich am lebhaftesten gegen ein Wegloben und Weglotsen des ersten CDU-Vorsitzenden seiner Partei verwahrte, am wenigsten entziehen kann. Kohl redete nach den Regeln des Proporzes vor dem Fernsehvolk würdig und viel, doch verstummte die Frage nicht, ob der hinterlassene Mantel Adenauers für den Enkel und Erben in der Partei nicht noch eine Nummer zu groß ist. Was Kohls Adenauer-Porträt fehlte, die Abrundung durch negative Seiten, lieferten Scheel und Genscher. Erst so entsteht mit einem Menschen und Politiker in seinem Widerspruch das runde und glaubhafte Bild. Zu ihm paßt, was Adenauer sich für die Zeit nach seinem Tod gewünscht hat: die schlichte Anerkennung, er habe seine Pflicht getan. Das Lob hat er verdient, und es wird seiner Gestalt eher gerecht als das Gezerre, das die Parteien um ihn veranstalten. h.e.

(Aus: General-Anzeiger (Bonn), 6. 1. 1976, S. 1–2)

4. Lexikonartikel: Glück

Glück: 1. günstiger Zufall, erfreuliches Ereignis, Erfüllung eines sehnlichen Wunsches. – 2. als Element des Moralbewußtseins ist G. eine bestimmte Art des Bewußtwerdens und Erlebens von Situationen und Umständen, in denen sich Individuen oder Gemeinschaften bestätigt finden. Welche Situationen und Umstände als G. empfunden und gewertet werden, hängt von der sozialen Lage, der Erziehung und der durch im individuellen Entwicklungsprozeß entstandenen Interessen- und Bedürfnisstruktur ab. Orientieren sich diese Ziele ausschl. am materiellen Wohlstand und am Besitz, sind sie typischer Ausdruck der auf dem Privateigentum an den Produktionsmitteln beruhenden Lebensweise und Ideologie. In der sozialistischen Gesellschaft wird G. immer mehr verbunden mit sinnvoller Arbeit, Leben in der Gemeinschaft, Entfaltung der Persönlichkeit und revolutionärer Weltveränderung.

(Aus: Meyers Neues Lexikon, 2., völlig neu erarbeitete Auflage in 18 Bänden. Leipzig: VEB Bibliographisches Institut 1973, Bd. 5, S. 513–514)

Glück: umfaßt die Idealvorstellungen von der Lebensweise des einzelnen in der Gesellschaft, Vorstellungen von den Mitteln und Wegen zur Realisierung des Ideals (→ *Ideal, ästhetisches*) sowie Vorstellungen von der Gefühlswelt des Menschen. Je nach der ideologischen Funktion, die der G.sbegriff im System einer Weltanschauung zu erfüllen hat, tritt die eine oder andere Seite besonders in den Vordergrund. Jede Klasse entwickelt, entspr. ihrer weltanschaulichen Haltung, ihren eigenen G.sbegriff. In der Kunst sind die G.svorstellungen Grundlage der Gestaltung des → *Schönen*. Mit dem aufstrebenden Bürgertum und seinem Kampf gegen die ideologische Stütze der Feudalherrschaft, gegen die Religion, wurde das G. ebenso wie → *Freiheit* und Gleichheit in den Rang der unveräußerlichen (bürgerlichen) Menschenrechte erhoben. Als die Bourgeoisie die politische Macht errungen hatte, sah sich das Volk in seiner Hoffnung auf ein glückliches Leben betrogen. Die Bourgeoisie errichtete mit der kapitalistischen Gesellschaft eine Ordnung, in der alles, auch menschliches G., zur Ware, Mittel zum Zweck wird, um Profit zu erjagen. Das G. von Millionen Menschen wurde bedenkenlos in zwei Weltkriegen geopfert. Der Kampf der Bourgeoisie ist mit der Entstehung des Sozialismus in einem Teil der Welt noch erbitterter und gefährlicher geworden. Sie kann dem Marxismus-Leninismus keine einheitliche Weltanschauung zur Verschleierung ihrer Klassenziele entgegensetzen und nutzt daher die verschiedensten ideologischen Elemente. Besonders geeignet erweisen sich Begriffe, die scheinbar klassenindifferent sind, einen sogenannten allgemeinmenschlichen Inhalt besitzen und für die Massen eine positive emotionale Bedeutung haben. Alle diese Eigenschaften treffen auf den Begriff G. zu. Man nutzt seine Unbestimmtheit aus und predigt nebeneinander den religiös eingestellten Menschen, daß G. ein Geschenk Gottes sei und man es daher auch nicht erkämpfen könne; den Besitzlosen wird das G. der Bescheidenheit und Bedürfnislosigkeit als erstrebenswertes Ziel gepriesen, oder G. wird ausschließlich auf den emotionalen Zustand eines seelischen Wohlbehagens reduziert, der heute bereits medikamentös herbeigeführt werden kann. Sogar in der Arbeitswelt soll das G. zur konkreten „Führungsaufgabe" werden, aber wiederum nur, weil man sich den „ganzen" Menschen als Ausbeutungsobjekt dienstbar machen will. Diese Vielfalt von G.sidealen, die den Menschen von den bürgerlichen Ideologen scheinbar zur Wahl angeboten werden, mischt man außerdem mit antikommunistischen Ausfällen. Verhindert werden soll die Erkenntnis der Perspektivlosigkeit der spätbürgerlichen Gesellschaft, die Erkenntnis, daß echtes G. nur dort Bestand hat, wo sich das Volk für immer von Ausbeutung und Unterdrückung befreit. (→ *Manipulierung*) Erst der Marxismus-Leninismus entdeckte im Proletariat diejenige gesellschaftliche Kraft, die entspr. dem Entwicklungsstand der Produktivkräfte in der Lage und berufen ist, die gesellschaftlichen Verhältnisse grundlegend zu revolutionieren und die gesellschaftlichen Wurzeln des Unglücks des Volkes für immer auszurotten. Mit der Errichtung der sozialistischen Gesellschaft werden die politischen und ökonomischen Verhältnisse überwunden, unter denen die Menschen ihr persönliches G. nur im Kampf aller gegen alle durchsetzen können, Verhältnisse, unter denen eine kleine Minderheit ein fragwürdiges G. auf dem Unglück der Masse des Volkes aufbaut. Das Wohl der Menschen, ihr G. in einem friedlichen Leben, in Demokratie und Sozialismus ist der Sinn und das Ziel des Programms der SED. Die gemeinsame Verwirklichung dieses marxistisch-leninistischen Programms des

Sozialismus vereinigt die Anstrengung aller Bürger der DDR und bietet unerschöpfliche Möglichkeiten für die Entfaltung der vielseitigen Fähigkeiten und Talente. Die Macht des werktätigen Volkes unter Führung der marxistisch-leninistischen Partei ist daher die wesentlichste gesellschaftliche Voraussetzung für ein beständiges persönliches G. jedes einzelnen. Erst im Sozialismus wird auch die Verantwortung des einzelnen für sein persönliches G. in der Gesellschaft zu einer notwendigen Bedingung für das G. aller. G. ist weder Geschenk noch Mäßigkeit. G. ist wesentlich der Prozeß der sich entwickelnden sozialistischen Persönlichkeit. Eine reiche und glückliche Persönlichkeit entwickelt sich aber nur, wenn sie sich Ziele setzt, durch deren Verwirklichung sie über sich selbst hinauswächst, wenn sie ihr Leben eng mit der Entwicklung der sozialistischen Gesellschaft und deren humanistischen Zielen verknüpft. Die sozialistische Arbeit, das Lernen und das Streben nach neuen Erkenntnissen, die gesellschaftliche Tätigkeit auf den verschiedensten Gebieten, Familie und Freundeskreis, die Aneignung des kulturellen Reichtums – das sind nur einige Bereiche des menschlichen Lebens, in denen sich der Mensch als sozialistische Persönlichkeit bewähren und G. finden kann. Die Freude am Wachsen und Gedeihen der sozialistischen Menschengemeinschaft und am eigenen Anteil daran, die Freude über persönliche Erfolge und an der Schönheit des Lebens widerspiegelt diesen Entwicklungsprozeß auch emotional und rational als G.

(Aus: Kulturpolitisches Wörterbuch. Berlin/DDR: Dietz Verlag 1970, S. 197–198)

*

Glück (Glückseligkeit), Zustand vollkommener Befriedigung, vollkommener Wunschlosigkeit, ein Ideal, dessen Verwirklichung durch sinnvolles Wirken und Zusammenwirken erstrebbar ist (→ Eudämonismus). „Das höchste in der Welt mögliche und, soviel an uns ist, als Endzweck zu befördernde physische Gut ist G.seligkeit, unter der objektiven Bedingung der Einstimmung des Menschen mit dem Gesetze der Sittlichkeit, als der Würdigkeit, glücklich zu sein" (Kant, Urteilskraft). In Schillers Gedicht „Das G." heißt es: „Groß zwar nenn' ich den Mann, der, sein eigner Bildner und Schöpfer, / Durch der Tugend Gewalt selber die Parze bezwingt; / Aber nicht zwingt er das Glück, und was ihm die Charis / Neidisch geweigert, erringt nimmer der strebende Mut. / Vor Unwürdigem kann dich der Wille, der ernste, bewahren, / Alles Höchste, es kommt frei von den Göttern herab." Die griech. Ethik unterschied bereits zwischen *Eutychia,* der Gunst der Umstände und des Schicksals, und *Eudaimonia,* dem Empfinden dieser Gunst, dem G.sgefühl. Die *Eutychia* ist ein reiner Sachverhaltswert, die *Eudaimonia* ein zwar innerer, aber rein zuständlicher Güterwert. Beide Werte sind ethisch ohne Belang. Das G.sgefühl hängt nicht von den erreichten G.s gütern ab, sondern von der eigenen G.sfähigkeit. Die *G.sfähigkeit* aber ist den Persönlichkeitswerten zuzurechnen, denn der G.sfähige erhöht durch sein Beispiel den Wert des Lebens und die Bereitschaft, ethische Werte als solche zu erkennen und zu verwirklichen. Gegenüber allen philosophischen Deutungen des G.s beschränken sich die G.serlebnisse vieler Menschen des technischen Zeitalters auf Befriedigung von Konsumwünschen und anderen materiellen Freuden.

(Aus: Philosophisches Wörterbuch. Begründet von HEINRICH SCHMIDT. Stuttgart: Kröner Verlag [19]1974, S. 225 f.)

Glück (Glückseligkeit), in der Philos. Bez. für den harmon. Zustand des wunschlosen Zufriedenseins, v. a. aber für eine möglichst vollkommene und dauernde Erfüllung der Gesamtnatur des Menschen; sittl. Prinzip im ↑ Eudämonismus; in der Antike, die das Zufällige und Schicksalhafte des G.es betont, als ↑ Tyche bzw. ↑ Fortuna personifiziert.

(Aus: Das Große Duden-Lexikon in 8 Bänden. Mannheim: Bibliographisches Institut 1965, Bd. 3, S. 611)

Glück *das* 1) günstige Wendung oder Fügung des Schicksals; im griech. Altertum als *Tyche,* im röm. als *Fortuna* versinnbildlicht oder vergöttlicht. Die Erfahrung, daß Glücksfälle sich häufen können, dabei aber immer den Charakter des Nicht-selbst-Bewirkten und Unverdienten behalten, führt oft zu der Vorstellung, daß ‚Glück haben‘ die charismatische Eigenschaft bestimmter Menschen sei (‚Glückspilz‘, ‚Sonntagskind‘, ‚eine glückliche Hand haben‘), andrerseits zu der Mahnung, daß man sich auf diese Eigenschaft nicht verlassen, z. B. sich ihrer nicht rühmen dürfe. So folgte – nach Meinung der Antike – übergroßem G. der ‚Neid der Götter‘, denn dieses überschreite das dem Menschen gesetzte Maß.

In der *Kunst* hat die Fortuna als Göttin des Glücks als Attribute das Füllhorn, das Steuerruder oder die Zügel, auch erscheint sie beflügelt oder auf einer Kugel stehend. Das MA. stellte sie bisweilen zweiköpfig dar, am häufigsten im Zusammenhang mit dem →Glücksrad. Die Renaissance vermehrte die Attribute. Eine der eindrucksvollsten Gestalten der Fortuna ist Dürers Stich ‚Das Große Glück‘.

2) ein seelisch gehobener Zustand, in welchem der Mensch mit seiner Lage und seinem Schicksal einig und sich dieser Einhelligkeit gefühlsmäßig bewußt ist: sei es, daß er die Wünsche, die ihm für sich selbst wesentlich scheinen, erfüllt glaubt, sei es, daß er wesentliche Wünsche, die über das Gegebene hinausdrängen, nicht hat (‚wunschlos glücklich‘). Das G. kann alle Stufen vom Sinnlichen bis zum Sublim-Geistigen durchlaufen. Hohes G. kann schenkende Liebe und schöpferisches Tun gewähren. Religiös vertieft wird es oft Glückseligkeit genannt.

Die meisten *Systeme der Ethik* haben im Verlangen nach G. einen nicht nur tatsächlichen, sondern auch sittlich wertvollen Grundzug der menschl. Natur gesehen. Das Glückstreben galt ihnen daher als notwendige Begleiterscheinung, oft als das Prinzip des Sittlichen; so insbes. der gesamten antiken Ethik (→Eudämonismus). Der →Utilitarismus sah das Grundprinzip der Ethik im ‚größten G. der größten Zahl‘. Nur die rigoristischen Systeme der Ethik schieden *Sittlichkeit* und G. scharf voneinander (z. B. Kant), um den Eigenwert und die Apriorität des Sittengesetzes zu betonen. Die *Geschichtsphilosophie* hat die Steigerung des menschlichen G. (oder der menschl. Glücksmöglichkeiten) vielfach als den wesentlichen Inhalt des geschichtl. Fortschritts betrachtet. Hegel, Burckhardt, Nietzsche u. a. haben dagegen betont, daß geschichtl. Größe und G. nichts miteinander zu tun haben oder sich sogar ausschließen (Hegel: ‚Die Geschichte ist nicht der Boden für das G. Die Zeiten des G. sind ihr leere Blätter‘).

(Aus: Brockhaus Enzyklopädie in 20 Bänden. Wiesbaden: F. A. Brockhaus [17]1969, Bd. 7, S. 413–414)

5. Lexikonartikel: Frieden

Frieden: Zustand im Zusammenleben der Völker und Staaten, in dem die gegenseitigen Beziehungen mit nichtkriegerischen Mitteln auf der Grundlage und unter der strikten Achtung des Völkerrechtes geordnet werden. Inhalt und Charakter des F. entsprechen stets einer gegebenen, historisch bestimmten Gesellschaftsformation. Im Imperialismus benutzt das Monopolkapital den F. zur politischen, wirtschaftlichen, militärischen, moralischen und propagandistischen Vorbereitung von Kriegen zur Vernichtung des Sozialismus, zur Ausweitung des imperialistischen Einflußbereiches, zur Zerschlagung der nationalen und sozialen Befreiungsbewegung, zur Errichtung der Konterrevolution usw. Im Sozialismus und Kommunismus ist der F. ein internationales Prinzip, von dem sich die kommunistischen und Arbeiterparteien und die sozialistischen Staaten in ihrer Politik leiten lassen. Dieses Prinzip hat die Verwirklichung freundschaftlicher Beziehungen zwischen allen Völkern unabhängig von ihrer sozialen Ordnung und die Regelung der zwischenstaatlichen Beziehungen auf der Grundlage des Völkerrechts, internationaler und zwischenstaatlicher Verträge und Abmachungen zum Inhalt. Während der Krieg eine gesetzmäßige Erscheinung der antagonistischen Klassengesellschaft ist, ist der F. eine gesetzmäßige Erscheinung des Sozialismus und Kommunismus. Er ist Ziel des Kampfes der Arbeiterklasse. Auf Grund des veränderten internationalen Kräfteverhältnisses in der Epoche des weltweiten Übergangs der Menschheit vom Kapitalismus zum Sozialismus besteht in der Gegenwart die reale Möglichkeit, dank der Existenz eines mächtigen sozialistischen Lagers und einer weltweiten F.sbewegung eine gesicherte F.sordnung in Europa und einen dauerhaften Welt-F. zu erzwingen. Die jahrtausendealte Sehnsucht der Menschen nach einem „ewigen F." kann verwirklicht werden.

(Aus: Meyers Neues Lexikon in 18 Bänden. Leipzig: VEB Bibliographisches Institut [2]1973, Bd. 5, S. 153)

Frieden: ein Zustand in den Beziehungen zwischen Völkern und Staaten, der den Krieg zur Durchsetzung der → *Politik* ausschließt. In der antagonistischen Klassengesellschaft wird dieser Zustand jedoch ständig durch Kriege unterbrochen, da sich der Klassenantagonismus im Innern eines Landes auch in der Feindschaft zu anderen Nationen äußert. Die herrschenden Klassen setzen ihre Politik mit allen Mitteln der Macht durch. Im → *Imperialismus,* wo infolge der ungleichmäßigen Entwicklung der imperialistischen Länder immer wieder die Neuaufteilung der Welt auf der Tagesordnung steht, wird der Krieg zum Weltkrieg, der ungeheure Vernichtung von Menschen, Städten und Kultur bedeutet. Auch in der Gegenwart, nachdem sich ein mächtiges F.sbollwerk in Gestalt der Sowjetunion und des sozialistischen Weltsystems entwickelt hat, geht die Bedrohung des F. vom Imperialismus aus, der mit allen Mitteln versucht, die gesetzmäßige Entwicklung der menschlichen Gesellschaft zum Sozialismus und Kommunismus durch die Politik der Zurückdrängung des Sozialismus und der nationalen Befreiungsbewegung aufzuhalten. Erst in einer Gesellschaft, die nicht mehr auf dem Privateigentum an den Produktionsmitteln und dem Klassenantagonismus beruht, kann der F. dauernd gesichert werden. Der F. ist dem Sozialismus und dem Kommunismus wesenseigen, er wird hier zum internationalen Prinzip der Beziehungen zwischen den Völkern und Staaten.

In der gegenwärtigen Epoche haben sich Inhalt und Umfang des F.skampfes wesentlich erweitert. Aus dem antagonistischen Widerspruch zwischen imperialistischer Kriegspolitik und dem Interesse der Völker an der Erhaltung des F. erwächst ein immer stärkerer Widerstand der Volksmassen in den imperialistischen Ländern, in den sozialistischen Staaten und jungen Nationalstaaten gegen die Rüstungs- und Kriegspolitik des Imperialismus. „Das Hauptkettenglied der gemeinsamen Aktionen der antiimperialistischen Kräfte bleibt auch in Zukunft der Kampf um den Frieden in der ganzen Welt, gegen die Kriegsgefahr, gegen die Gefahr eines Kernwaffenkrieges, der die Völker mit der Massenvernichtung bedroht" (Hauptdokument der Internationalen Beratung der kommunistischen und Arbeiterparteien in Moskau, 1969). Das auf dem XXIV. Parteitag der KPdSU verkündete Programm der → *friedlichen Koexistenz* wird von der Sowjetunion und den Ländern der sozialistischen Staatengemeinschaft, unterstützt von den kommunistischen und Arbeiterparteien der kapitalistischen Länder und der weltweiten F.sbewegung, Schritt für Schritt verwirklicht. Mit der Entstehung und Stärkung des sozialistischen Weltsystems ist die reale Möglichkeit gegeben, durch den gemeinsamen Kampf aller friedliebenden Menschen den Weltkrieg aus dem Leben der Gesellschaft zu verbannen. Das setzt voraus, daß der Sozialismus weiter gestärkt wird und alle F.skräfte einheitlich und geschlossen handeln, denn solange der Imperialismus existiert, besteht auch die Gefahr eines Weltkrieges.

Die Politik der sozialistischen Staaten zeigt, daß nur die Arbeiterklasse fähig ist, „im Gegensatz zur alten Gesellschaft mit ihrem ökonomischen Elend und ihrem politischen Wahnwitz", eine Gesellschaftsordnung zu schaffen, „deren internationales Prinzip der *Friede* sein wird, weil bei jeder Nation dasselbe Prinzip herrscht – die *Arbeit*" (*Marx*). Der Krieg ist nicht im Wesen des Menschen begründet, wie das manche bürgerliche Ideologen nachzuweisen versuchen, sondern eine Erscheinung sozialer Verhältnisse, die auf dem Privateigentum an den Produktionsmitteln und der Klassenspaltung beruhen.

Bereits die ältesten überlieferten F.svorstellungen der Menschheit zeigen, daß sich die F.ssehnsucht der Menschen nicht im bloßen Traum einer Abwesenheit des Krieges erschöpft. Der F.swille äußert sich gleichzeitig als Protest gegen die gesellschaftlichen Verhältnisse, denen der Krieg immanent ist. In der griechischen Philosophie und Dichtung verbanden sich die Idee des F. und die der Menschlichkeit zu einer Einheit. Diese positive Vorstellung vom F. als des normalen Zustandes der Menschheit ist auch in der Geschichte der Klassengesellschaft in ihrem Kern erhalten geblieben. Die Ideologen der aufstrebenden Bourgeoisie gaben den F.sbestrebungen der Volksmassen neue geistige und politische Grundlagen. Die Verwirklichung des neuen, an der Vernunft, der Würde und der Freiheit des Menschen orientierten Humanitätsideals, das den F.sgedanken mit den Ideen der Humanität und Toleranz, der Freiheit, Gleichheit, Brüderlichkeit aller Menschen vereinigte, erforderte die Beseitigung des Feudalismus. Mit dem selbständigen Auftreten der Arbeiterklasse wurde der F.skampf zu einer materiellen gesellschaftlichen Macht. Die Arbeiterklasse und ihre marxistisch-leninistische Partei verwirklichen im praktischen F.skampf die Einheit aller friedliebenden Menschen. Die Geschichte der F.sbewegung in den vergangenen hundert Jahren hat jedoch gezeigt, daß der F.skampf, getrennt vom sozialen Kampf der Arbeiterklasse, keine politische Wirksamkeit erlangen kann.

(Aus: M. Buhr, A. Kosing, Kleines Wörterbuch der marxistisch-leninistischen Philosophie. Berlin/DDR: Dietz Verlag 1974, S. 104–106)

*

Friede, völkerrechtl. der Zustand ungebrochener Rechtsordnung zw. Staaten, bei dem Waffengewalt zur Durchsetzung von Interessen ausgeschaltet ist; die zwischenstaatl. Beziehungen werden geregelt durch völkerrechtl. Bestimmungen, durch Vereinbarungen von F.nsverträgen oder vorläufigen Abmachungen sowie durch diplomat., konsular. oder Handelsvertretungen. – F. war urspr. die rechtl. Ordnung innerhalb einer soziol. Gruppe; in der griech. Staatenwelt waren Feindseligkeiten während des Olymp. Festes untersagt, im 4. Jh. v. Chr. war die Politik weitgehend von der Idee eines alle Griechen umfassenden F.ns bestimmt; im Bereich des röm. Imperiums herrschte in der Kaiserzeit die ↑ Pax Romana, bei den Germanen war F. die maßgebl. Beziehung zw. den Angehörigen der Sippe oder Hausgemeinschaft, sie kannten außerdem zeitl. oder örtl. begrenzten F.n (z. B. Thing-F.), ebenso das MA, (z. B. Burg-, Gerichts-, Markt-F.); der ↑ Königsfriede konnte Sonder- oder allg. F. sein; im 10. Jh. kam der Gedanke des ↑ Gottesfriedens u. der ↑ Treuga Dei auf, im späten MA. der des ↑ Landfriedens. Das MA. wurde in seinen F.nsvorstellungen stark von dem F.nsgedanken der christl. Botschaft beeinflußt, der bald auch ein soziol. Begriff wurde; philos. wurde das Problem des F.ns u. a. aufgegriffen von Augustinus, Thomas von Aquin, in der Neuzeit v. a. von Saint-Pierre, Rousseau, Kant, Saint-Simon und Bentham.

(Aus: Das Große Duden-Lexikon in 8 Bänden. Mannheim: Bibliographisches Institut 1965, Bd. 3, S. 301)

Friede 1) *allgemein:* der Zustand einer ungestörten Ordnung zwischen den Individuen einer Gruppe sowie zwischen verschiedenen Gruppen, insbes. zwischen den Staaten, beruhend auf dem Einvernehmen, zumindest auf der Verträglichkeit der Partner. Gegensätze zwischen diesen, auch Konkurrenz zwischen ihnen heben den F. nicht auf, sofern der Wille zur Beilegung der Gegensätze oder wenigstens zu ihrer Austragung mit gewaltlosen Mitteln besteht. [. . .]
2) *Religion:* Den prophetischen Religionen, die die geschichtliche Welt prägen wollen und den Kampf dafür teilweise für gottgeboten halten (→Heiliger Krieg), ist der F. ein Zustand glückl. Urzeit oder Endzeit (vgl. das Friedensreich Jes. 11). Den myst. Religionen hingegen ist wenig an der Gestaltung der äußeren Welt gelegen, so daß sie geschichtlich Friedensreligionen sind. Der innere F. des einzelnen mit Gott (→Heil) ist ebenfalls in beiden Formen verschieden: Die prophet. Religionen suchen ihn in der Sündenvergebung und Heiligung, die mystischen in der Abgeschiedenheit vom Irdischen. Die christl. Religion als prophetische begründet den F. des einzelnen auf seine →Rechtfertigung, die ihm auch inmitten ird. Unruhe den inneren F. gewährt. In der geschichtl. Welt hat sie bis zur Aufklärung weder den politischen noch den →Religionskrieg ausgeschlossen; in der Gegenwart sind die Kirchen seit dem ersten Weltkrieg immer mehr Träger einer eigenen christl. →Friedensbewegung geworden.

3) *Recht:* der innerhalb einer Gemeinschaft bestehende rechtlich gesicherte Zustand, in dem sowohl die unmittelbare Anwendung von Gewalt, als auch die Selbsthilfe verboten ist. [. . .]

Der *Friedensbruch,* urspr. die Verwirkung des F. gegenüber dem Verletzten bei Begehung eines Verbrechens (→Acht) wird von den modernen Strafgesetzen als →Hausfriedensbruch oder →Landfriedensbruch unter Strafe gestellt. Heute ergeben sich Bedrohungen und Störungen des inneren F. aus dem Arbeitskampf (→Aussperrung, →Streik). Durch den Abschluß von Tarifverträgen übernehmen die Tarifvertragsparteien eine tarifl. *Friedenspflicht* (→Tarifvertrag).

4) *Völkerrecht:* der Zustand nichtkrieger. Beziehungen zwischen Staaten, die einander in ihrem rechtl. Bestand stillschweigend oder ausdrücklich anerkannt haben und danach handeln (*äußerer F.).* Der F. ist rechtlich der Normalzustand des internationalen Lebens; er findet seinen Ausdruck in gegenseitigen diplomat. Beziehungen, im Abschluß und in der Durchführung von Staatsverträgen über Handels-, Kultur- und Rechtsbeziehungen und im gegenseitigen Schutz der Staatsangehörigen. Er dauert auch an bei nichtmilitär. Auseinandersetzungen und Gewaltmaßnahmen, z. B. wirtschaftl. Diskriminierung („Kalter Krieg‘), sowie bei vorübergehender Gewaltanwendung zur Vergeltung völkerrechtswidriger Handlungen (→Repressalie). Bei planmäßigem Einsatz militär. Gewalt gegen einen anderen Staat wird der F. durch den Kriegszustand abgelöst (→Kriegsrecht); eine förmliche →Kriegserklärung ist häufig, jedoch nicht notwendig, um den Kriegszustand eintreten zu lassen. Die Wiederherstellung des F. erfolgt nicht schon durch einen →Waffenstillstand, sondern durch einen →Friedensvertrag, ggf. auch durch ausdrückl. Erklärungen oder durch schlüssiges Handeln, wie die Aufnahme diplomat. Beziehungen oder des Handelsverkehrs (*Friedenszustand de facto).*

An die Stelle des vor dem ersten Weltkrieg angenommenen freien Kriegsführungsrechts ist das Verbot des →Angriffskrieges getreten. Diese bedeutsame Wandlung ist eine Folge nicht nur der entsetzl. Erfahrung des modernen Krieges, sondern auch der Ausbreitung der Ideen des neuzeitl. Humanismus, zu denen der Gedanke der →Friedenssicherung gehört. [. . .]

Die *Voraussetzungen* des F.s liegen letztlich nicht in den verhältnismäßig schwachen und lückenhaften Regeln des nach wie vor auf der →Souveränität der Staaten beruhenden Völkerrechts, sondern in dem Ausgleich der gegensätzl. *politischen* Interessen der Staaten (→Außenpolitik, →Abrüstung) und der *wirtschaftlichen* Ungleichheiten der Völker. Das atomare Gleichgewicht der beiden Weltmächte und deren militär. Überlegenheit über die übrigen Staaten hat in der Zeit nach dem zweiten Weltkrieg einen der bisherigen Geschichte unbekannten und labilen *Weltfrieden* hervorgebracht, der durch begrenzte Kriege in den unbestimmten Randzonen der Einflußbereiche dieser Mächte gefährdet, aber bisher nicht unterbrochen wurde.

Nach *marxistisch-leninist. Ideologie* kann der wirkliche F. erst nach dem vollständigen Sieg des Kommunismus im Weltmaßstab über den seiner Natur nach friedensfeindl. Kapitalismus und Imperialismus hergestellt und für immer gesichert werden. Die daraus von Lenin abgeleitete These von der Unvermeidbarkeit von Kriegen bis zum Erreichen dieses Ziels wurde seit 1955 angesichts des inzwischen entstandenen nuklearen Gleichgewichts des Schreckens revidiert: Es wird unterschieden zwischen vermeidbaren ‚internationalen Kriegen' und notwendigen Befreiungskriegen oder Volksaufständen sowie zwischen der Forderung nach friedlichem, wirtschaftl. und polit. Wettbewerb des kapitalist. und kommunist. Systems bei unverminderter Fortdauer des ideolog. Kampfes. Im neu interpretierten Prinzip der Friedlichen Koexistenz kommt diese neue Auffassung zusammengefaßt zum Ausdruck.

(Aus: Brockhaus Enzyklopädie in 20 Bänden. Wiesbaden: F. A. Brockhaus [17]1968, Bd. 6, S. 597–598)

Frieden gilt im allgemeinen als ein Zustand ohne Krieg oder kriegsähnliche Konflikte. Nach klassischer völkerrechtlicher Auffassung wird der Frieden durch eine Kriegserklärung oder militärische Angriffshandlung unterbrochen und erst nach einem Friedensvertrag oder einer Erklärung über die Beendigung des Kriegszustandes wiederhergestellt.

Mit dem Auftreten totalitärer Bewegungen, die von der Existenz eines fortwährenden „Rassenkampfes" oder „Klassenkampfes" („Frieden als Fortsetzung des Krieges mit anderen Mitteln") ausgehen, wird unter „Frieden" im westlichen Sprachgebrauch ein Zustand ohne Krieg gekennzeichnet, in dem die politische Freiheit der Bürger sowie die Funktionsfähigkeit von Gesellschaft und Staat gewährleistet sind. Aus der Freiheit des Einzelmenschen und der Macht der gesellschaftlichen Gruppen wie des Staates resultieren Konflikte und evolutionäre Entwicklungen. Sie gehören in einer dynamischen pluralistischen Massengesellschaft zum Erscheinungsbild des Friedens in Freiheit.

(Aus: FRIEDRICH SCHRAMM, Staatsbürgerlexikon. Grundbegriffe aus Politik, Recht und Wirtschaft im ABC. Bonn: Ferd. Dümmlers Verlag [6]1969, S. 109)

Friede *Frieden,* das rechtl. geregelte Verhältnis zw. Menschen, soz. Gruppen und bes. Staaten, in dem etwaige Gegensätze ohne Gewalt ertragen oder ausgeglichen werden. Der in bloßer Verhältnislosigkeit gründende Nicht-Krieg ist in diesem Sinne kein F. Im german. Recht bedeutete F. das innerhalb einer Gemeinschaft bestehende Verhältnis der Genossen, das sie v. Außenstehenden abhob. Im MA wurden bestimmte Sachen, Orte u. Zeiten unter besonderen Rechtsschutz gestellt (Markt-, Gerichts-, Burg-, Gottes-, Land-F.). Das Ziel aller Utopien, der *Ewige F.,* entspringt endzeitl. christl. F.hoffnung.

(Aus: Herder Lexikon Politik. Freiburg, Basel, Wien: Verlag Herder [2]1975 S. 76–77)

6. Ansprachen zum Jahreswechsel 1965/66 und 1975/76

1965/66

Staatsratsvorsitzender Walter Ulbricht

Optimistisch ins neue Jahr!

Liebe Mitbürger, Genossen und Freunde! Bürger Westdeutschlands!
1965 war für Deutschland und für Europa wieder ein Friedensjahr. Und unser

aller Wunsch ist: Mögen die Bemühungen der Völker 1966 den Frieden nicht nur bewahren, sondern zu Fortschritten bei der Errichtung einer dauerhaften europäischen Friedensordnung führen.

Es wäre leichtfertig, die Augen davor zu verschließen, daß die auch unseren Frieden bedrohenden Gefahren gewachsen sind. [. . .]

Der westdeutsche Bundeskanzler und seine Regierung haben zu verstehen gegeben, daß sie 1966 den Kampf um die Vorherrschaft in der NATO und in Westeuropa sowie um die Beteiligung an der Verfügungsgewalt über Kernwaffen führen werden. Zugleich haben sie ihre Verbundenheit mit dem barbarischen Krieg der USA gegen das vietnamesische Volk erklärt.

Die Napalm-Mordbrenner, die durch ihre Verbrechen Haß und Verachtung aller friedliebenden Menschen auf sich geladen haben, sind Freunde und Verbündete der westdeutschen Rüstungsmilliardäre und deren Bonner Regierung. Die Sympathieerklärung für Mordbrenner und die Notstandsplanung zur Unterdrückung der westdeutschen Bürger sind zwei Seiten einer einheitlichen Bonner Politik. Sie gefährdet den Frieden der Welt, den Frieden Europas, den Frieden in Deutschland. Die Bonner Regierung, mit dem Aggressionskrieg der USA verbündet, will also auch 1966 keine deutsche Politik, sondern eine Politik gegen die Lebensinteressen der Deutschen in Ost und West. [. . .]

Liebe Mitbürger, Genossen und Freunde!

Für die Deutsche Demokratische Republik wird 1966 ein Jahr des weiteren sozialistischen Aufbaus und damit des weiteren gesellschaftlichen Fortschritts sein. [. . .]

1965 war für uns ein gutes Jahr, weil die Deutsche Demokratische Republik wieder einen guten Schritt vorwärts gekommen ist. [. . .]

Selbst unsere Gegner sind gezwungen anzuerkennen: Die DDR, der erste sozialistische deutsche Staat, hat sich im Innern wie nach außen weiter konsolidiert.

Der Staatsbesuch in der Vereinigten Arabischen Republik im Frühjahr dieses Jahres war ein bedeutendes nationales und internationales Ereignis. Die diesjährige Reise der Partei- und Regierungsdelegation in die Sowjetunion und ihre weitreichenden Ergebnisse haben erneut deutlich gemacht, daß uns mit diesem großen Land eine feste Freundschaft, gute Bundesgenossenschaft und Beziehungen gleichberechtigter fruchtbarer Zusammenarbeit zum Wohle unserer Völker und Länder verbinden. Das wachsende Ansehen der DDR und ihre Rolle im internationalen Leben haben die Berechtigung unseres Anspruchs weithin sichtbar gemacht, legitimer Vertreter und berufener Sprecher der ganzen deutschen Nation zu sein.

Die tüchtigen und fleißigen Arbeiter und Angestellten, Genossenschaftsbauern und Landarbeiter der Deutschen Demokratischen Republik, unsere Ingenieure und Techniker, Wissenschaftler und Geistesschaffenden, unsere Pädagogen und Künstler, die Funktionäre der Wirtschaft und des Staates, die Gewerbetreibenden, die Angehörigen unserer bewaffneten Organe, die unsere friedliche Aufbauarbeit schützen – sie alle haben zu den Fortschritten des Jahres 1965 beigetragen.

Ich möchte diese Botschaft zum Jahreswechsel nutzen und allen sehr, sehr herzlich danken, die mit ihrer Arbeit, ihrem Können und ihrem klugen Rat zu den Erfolgen von 1965 beigetragen haben.

Genügt uns das Erreichte? Natürlich nicht! Wir wissen, daß noch viel zu tun bleibt. Wir stellen immer höhere Ansprüche an das Leben. Aber auch die Entwicklung stellt immer wieder neue Fragen auf die Tagesordnung und macht neue Lösungen erforderlich. Wir sind weit entfernt von Selbstzufriedenheit. Jedoch wir kennen unseren Weg – und wir kennen das Ziel! [. . .]

Natürlich werden wir niemals mit dem Erreichten zufrieden sein. Wir erstreben hohen Wohlstand für alle und dazu umfassende soziale Sicherheit. Wir streben nach einem einheitlichen, friedliebenden, demokratischen Deutschland. Wir streben danach, in der geistigen und kulturellen Entwicklung der Menschheit mit an der Spitze zu sein. Wir möchten gern, daß alle Bürger der DDR fachlich und kulturell hochentwickelte Menschen sind. Wir wünschen uns beste Wissenschaftler und beste Ingenieure, hervorragende Ärzte und Architekten, Lehrer, Schriftsteller und Künstler, die die Kultur der Menschheit bereichern. [. . .]

Die große nationale Mission der Deutschen Demokratischen Republik tritt immer sichtbarer in den Vordergrund. In Deutschland verfügt nur die DDR über ein klares Leitbild einer fortschrittlichen demokratischen Gesellschaft, die Freiheit und Menschenwürde des einzelnen achtet und die Interessen der ganzen Gesellschaft wahrt. Nur die DDR verfügt über einen langfristigen Plan der gesellschaftlichen Entwicklung des deutschen Volkes. Er steht im Einklang mit der Entwicklungsrichtung der menschlichen Gesellschaft wie mit den nationalen und sozialen Lebensinteressen der Deutschen. Die DDR ist der einzige deutsche Staat, der über eine reale, auf den historisch gewachsenen Tatsachen fußende Konzeption einer demokratischen und friedlichen Lösung des deutschen Problems verfügt, über eine reale Konzeption der Vereinigung der deutschen Staaten zu einem einheitlichen, friedliebenden und demokratischen Deutschland. [. . .]

Herrn Erhards „formierte Gesellschaft" ist nichts anderes als die Diktatur des staatsmonopolistischen Kapitalismus. Seine Erklärung in den USA, seine „formierte Gesellschaft" wäre identisch mit den Herrschaftsvorstellungen des USA-Monopol-Kapitals, bestätigt das erneut.

Wir dagegen orientieren auf die Herrschaft des Volkes, auf die Herrschaft von Menschenwürde und Freiheit von Not und Ausbeutung, auf die Beteiligung und Mitverantwortung aller, die für die Gesellschaft etwas leisten oder geleistet haben. In der von uns ausgearbeiteten Perspektive, die für das ganze deutsche Volk Geltung hat, sind zugleich jene grundlegenden Veränderungen berücksichtigt, welche durchzuführen die Geschichte mit ihren unerbittlichen Lehren unserer ganzen Nation als vordringliche Aufgabe gestellt hat. Ich bin zutiefst davon überzeugt, daß sich die Deutsche Demokratische Republik, ihre werktätigen Bürger und insbesondere ihre Jugend, der großen nationalen Mission würdig erweisen werden.

Liebe Bürger der westdeutschen Bundesrepublik!

Es bedrückt uns, daß die Regierung in Bonn den nationalen Ehrgeiz der Westdeutschen in eine Richtung drängt, die unserem deutschen Volk schon mehrfach Unheil gebracht hat. In die Richtung nämlich des Strebens nach ökonomischer, politischer und militärischer Vorherrschaft über andere Völker, nach Änderung der Grenzen, nach Verfügungsgewalt über atomare Waffen. Diese Politik diskreditiert den deutschen Namen in aller Welt. Diese Politik ist besonders für Sie, liebe westdeutsche Freunde, lebensbedrohend.

Nicht wenige Westdeutsche meinen, es sei doch wohl alles nicht so gefährlich, wie wir es sehen. Ich aber sage Ihnen: Wer Gebiete anderer Staaten fordert und bestehende Grenzen nicht anerkennt, der kann tausendmal erklären, er wolle den Frieden. Er lügt! Denn er will andere Staaten schlucken und sie zerstückeln. Niemand sollte einer solchen Regierung mit solchen Zielen Glauben schenken.

Ich sage Ihnen: Die westdeutsche Regierung in Bonn verfolgt eine Politik der Eskalation, ähnlich der der USA. Von Stufe zu Stufe verschärft sie die Situation. Wer sich aber in Westdeutschland damit beruhigt, der Krieg sei dabei immer noch ausgespart, der begeht denselben schweren Fehler, wie ihn ein großer Teil des deutschen Volkes zur Zeit Hitlers begangen hat. Das ist sträflich leichtfertig.

Wir appellieren an die Arbeiter und Angestellten, an die Bauern, an die Geistesschaffenden, an alle deutsche Patrioten in der westdeutschen Bundesrepublik: Sie wollen den Frieden ebenso wie wir? Dann aber müßten Sie mehr dafür tun, damit er endgültig siege. Wenn die Arbeiter, Bauern und Angehörigen der Intelligenz, wenn die sozialdemokratischen Wähler, die Mitglieder und Freunde der Gewerkschaften sich gegen atomare Bewaffnung und Notstandsdiktatur stemmen, dann ist keine Bonner Regierung in der Lage, die gegen den Frieden, die Demokratie und die Freiheit des Volkes gerichteten Pläne durchzuführen.

Gerade an diesem Jahresende sollten wir Deutschen aus der DDR, aus der westdeutschen Bundesrepublik und aus Westberlin ernsthaft überlegen: Was können und müssen wir gemeinsam tun, um 1966 der unheilvollen Eskalation ins Abenteuer endgültig Halt zu gebieten und den Sieg des Friedens zu erreichen.

Ich bin der Überzeugung: Alle Völker Europas atmeten erleichtert auf, wenn die deutschen Staaten die Initiative für Schritte zugunsten einer dauerhaften europäischen Friedensordnung ergreifen würden. Die Deutsche Demokratische Republik – das versichere ich Ihnen – wird mit aller Kraft diesem Ziel zustreben.

Der Staatsrat der Deutschen Demokratischen Republik schlägt dem neugewählten Bundestag der westdeutschen Bundesrepublik vor:

Beide deutsche Staaten verzichten auf Atomrüstung und Beteiligung an der Verfügungsgewalt über atomare Waffen in jeglicher Form;

beide deutsche Staaten anerkennen die bestehenden Grenzen in Europa;

die Deutsche Demokratische Republik und die westdeutsche Bundesrepublik nehmen – im Interesse des europäischen Friedens und der europäischen Sicherheit – diplomatische Beziehungen zu allen Staaten der NATO bzw. zu allen Staaten des Warschauer Vertrages auf;

beide deutsche Staaten erklären ihre Bereitschaft zu Verhandlungen über die Abrüstung in Deutschland;

beide deutsche Staaten leisten feierlich Verzicht auf solche Maßnahmen, Gesetze und Anordnungen, die den Weg zur Überwindung der Spaltung und zur Wiedervereinigung blockieren, wie z. B. atomare Aufrüstung, Notstandsgesetzgebung usw.;

die Regierungen beider deutscher Staaten treten in Verhandlungen mit dem Ziel ein, die Beziehungen zwischen den deutschen Staaten und ihren Bürgern zu normalisieren. [. . .]

Wollen wir doch zur Lösung unserer nationalen Probleme gemeinsam neue Wege suchen.

Es sollte doch eigentlich nicht so schwer sein – ungeachtet der Meinungsverschiedenheiten in nicht wenigen Fragen –, im neuen Jahr 1966 das den Bürgern der DDR und den Bürgern Westdeutschlands und Westberlins gemeinsame Lebensinteresse an der Erhaltung und Sicherung des Friedens in gemeinsame erste Schritte in Richtung auf eine feste europäische Friedensordnung umzumünzen. Ich möchte feststellen: Wenn auf westdeutscher Seite wenigstens der gute Wille da wäre, dann fände sich auch ein gemeinsamer Weg.

Ich richte an diesem Jahresende 1965 an alle Bürger Westdeutschlands und Westberlins die herzliche und eindringliche Bitte: Verschließen Sie sich nicht unserem Ruf nach gemeinsamen Schritten, die der Sicherung des Friedens für Deutschland und für Europa dienen sollen.

Liebe Mitbürger, Freunde und Genossen! Bürger der westdeutschen Bundesrepublik!

Ich bin der Überzeugung: Wir können und werden gemeinsam die Probleme unserer friedliebenden Nation meistern. Gehen wir mit Lebensfreude und Optimismus in das neue Jahr hinein! Aber denken wir auch daran: 1966 müssen wir etwas Entscheidendes dafür tun, damit der Frieden siegt, damit wir in den kommenden Jahren in gesichertem Frieden, ohne Sorgen und unbeschwert von Kriegsfurcht, den Jahreswechsel feiern können.

In diesem Sinne wünsche ich Ihnen allen und auch ihren Familien erfolgreichen Kampf um den Frieden, Gesundheit, Erfolg und Glück!

Auf ein recht frohes und gesundes neues Jahr 1966!

Freundschaft!

(Aus: Neues Deutschland, 1. 1. 1966, S. 1)

*

Bundespräsident Heinrich Lübke

Für das Wohl des Ganzen
Es genügt nicht, sich zur Demokratie allein zu bekennen – Sie muß durch Taten mit Leben erfüllt werden

Wenige Stunden vor dem Beginn des Neuen Jahres wende ich mich noch einmal an Sie alle, liebe Landsleute! Gewiß sind Weihnachten und Neujahr Feste, an denen man im Kreis der Familie und der nächsten Freunde unter sich sein möchte. Aber selbst in dieser stillen Zeit wollen wir nicht vergessen, daß neben dieser Urzelle menschlichen Zusammenlebens noch eine größere Gemeinschaft Anspruch hat auf unsere Achtung und Liebe, auf unsere Fürsorge und Mitarbeit.

In unserem Staat ist es ja nicht etwa wie in einer Fabrik, wo man die Arbeit niederlegt, wenn die Werksirene das Zeichen für den Feierabend gibt. Als Bürger bleiben wir immer im Dienst; denn auf unsere ständige Bereitschaft, füreinander und miteinander für das Wohl des Ganzen einzustehen, gründet sich unsere Demokratie. Es genügt nicht, wenn wir uns zu dieser Staatsform bekennen; wir müssen sie durch unsere Taten mit Leben erfüllen.

Politische Stabilität und wirtschaftliche Stabilität bedingen einander. Es ist deshalb für ein Volk, das um die Anerkennung seines Rechts und um die Freiheit für alle seine Angehörigen ringt, doppelt gefährlich, wenn es, wie wir zur Zeit, mit erheblichen wirtschaftlichen Schwierigkeiten zu kämpfen hat. Wir müssen klar erkennen, daß unser Ansehen in der Welt Schaden leidet, und daß wir demgemäß an Einfluß verlieren, wenn wir, anstatt Anstrengungen und Opfer auf uns zu nehmen, in Eigennutz, Gleichgültigkeit und Bequemlichkeit verharren.

Ebensowenig wie der einzelne oder die Familie kann ein Volk in seiner Gesamtheit über seine Verhältnisse leben. Jeder müßte einsehen, daß es unmöglich ist, auch noch so berechtigte Wünsche auf Kosten der Stabilität unserer Währung zu erfüllen. Eine inflationäre Entwicklung vernichtet die Ersparnisse, zerrüttet die Wirtschaft und trifft besonders hart diejenigen, die mit gleichbleibendem Einkommen rechnen müssen und immer mehr verarmen. Deshalb sollten wir bereit sein, scharfe Maßnahmen zu ergreifen, die möglichst alle Schichten einbeziehen, um zunächst den Ausgleich der öffentlichen Haushalte zu erreichen und darüber hinaus die Überbelastung unserer Wirtschaft abzubauen. Je härter die Eingriffe sind, um so schneller ist diese Krankheit unseres Wirtschafts- und Finanzwesens behoben. Diese Mahnung richtet sich an Bund, Länder und Gemeinden und in gleicher Weise an alle Schichten und Organisationen, die mittelbar oder unmittelbar Einfluß auf die Entwicklung unserer Wirtschaft und auf die Kaufkraft unseres Geldes haben. [...]

Kürzlich las ich das Ergebnis einer Meinungsumfrage, bei der sich 80 v. H. der Befragten für einen Verzicht auf Lohnerhöhungen aussprach, wenn die Preise stabil blieben. Diese Meinungsäußerung ist ein Beweis für die Einstellung, die auch heute noch in unserem Volk lebendig ist, und für seinen Wunsch nach stabilen Lebensverhältnissen, die wir erst dann wieder erreichen werden, wenn wir nicht mehr verbrauchen als wir erarbeiten. [...]

Ich vertraue auf den gesunden Sinn unserer Mitbürger, die wissen, was sie zu verlieren haben, wenn sie den Bogen überspannen. Nur wenn wir uns mit dem Blick auf das Ganze um die Lösung der wirtschaftlichen und sozialen Probleme in unserem Lande bemühen, dürfen wir auf Erfolg rechnen. Wenn wir aber unsere Ansprüche mehr und mehr steigern und immer nur das Teuerste und Beste kaufen, schwächen wir unsere wirtschaftliche und finanzielle Kraft, auf die sich zu einem nicht geringen Grad unser Ansehen in der Welt aufbaut. [...]

In diesem Jahr hatten wir zu unserer Freude eine Reihe von offiziellen Besuchen aus dem Ausland. Der eindrucksvollste von ihnen war der Besuch der Königin Elizabeth II. und ihres Herrn Gemahls, des Herzogs von Edinburgh. An diese Tage denken wir alle gerne und dankbar zurück. Mit ihrem weitreichenden Verständnis, ihrem feinen Humor und vor allem mit ihrem liebenswerten Charme hat sich die britische Monarchin größte Sympathie in unserem Volk erworben. Die Begegnungen und Gespräche im Rahmen dieses Staatsbesuches haben sich fühlbar auf die Beziehungen zwischen Deutschland und Großbritannien ausgewirkt. Möge die Zusammenarbeit der beiden Völker mehr und mehr durch die Gefühle aufrichtiger Verbundenheit bestimmt werden!

In den Vereinigten Staaten von Nordamerika haben wir einen verläßlichen Partner sowohl in politischer wie in wirtschaftlicher Beziehung. Mehr als fünf hervorragend ausgebildete und bewaffnete amerikanische Divisionen sind auf unserem Gebiet stationiert. Das verdeutlicht, daß die USA wie in anderen Teilen der Welt auch bei uns bereit sind, jede ernsthafte Bedrohung unserer Sicherheit mit allen Mitteln abzuwehren. Gerade dieser Großmacht gegenüber, die für die Erhaltung und Wiederherstellung des Friedens in der Welt ständig bedeutende Opfer bringt, sollten wir unsere Dankbarkeit beweisen. [...]

Der Rückblick auf das vergangene Jahr vermittelt uns ein Bild, in dem wir neben hellen Farben auch viele düstere Schatten finden. Wie im menschlichen Dasein mischen sich im Leben der Völker Freuden und Sorgen. Soweit es Kümmernisse sind, die wir selbst überwinden können durch eigene Anstrengungen, Leistung und Opferbereitschaft, wollen wir alle Kraft daran wenden, uns selbst zu helfen. Unser tiefstes Leid jedoch, die Spaltung Deutschlands, ist eine Sorge, die wir von uns aus nicht allein beseitigen können. Eine der vier Siegermächte des Zweiten Weltkrieges, die die Verantwortung für die Wiederherstellung der deutschen Einheit tragen, nämlich die Sowjetunion, wendet sich mit aller Kraft gegen unser Recht auf Selbstbestimmung, mit dem wir diese Einheit wiedererlangen könnten. [. . .]

Wir Deutsche werden nie aufhören, alle Völker der Welt immer und immer wieder auf das Unrecht hinzuweisen, das Tag für Tag an unserem Volk begangen wird. Wir werden um so nachdrücklicher daran erinnern, weil wir wissen, daß nur die Beseitigung dieses Unrechts die Spannungen in Europa abbaut und den Völkern ihren äußeren und inneren Frieden zurückgibt.

An uns selbst aber, liebe Landsleute, wird es liegen, uns durch unseren persönlichen Einsatz, durch unsere Gesinnung und Haltung des Zieles würdig zu erweisen, das wir erstreben: der Wiederherstellung unserer nationalen Einheit durch Anwendung des Selbstbestimmungsrechtes, auf das jedes Volk einen unverzichtbaren und von allen Nationen anerkannten Anspruch hat. Nehmen wir deshalb den Vorsatz mit hinüber ins Neue Jahr, in Familie und Beruf, in Gemeinde und Staat unser Bestes zu geben, damit sich unser Volk nicht nur in seinen Kindern, sondern auch im sittlichen Denken und Handeln seiner Bürger ständig erneuert.

In diesem Sinne wünsche ich Ihnen und uns allen ein gesegnetes, glückliches Jahr 1966.

(Aus: Bulletin des Presse- und Informationsamtes der Bundesregierung, 4. 1. 1966, S. 1–2)

*

1975/76

Staatsratsvorsitzender Willi Stoph

Viel Glück und Erfolg für 1976 allen Bürgern unserer Republik

Liebe Freunde und Genossen!

In wenigen Stunden vollendet sich das Jahr 1975 und ein neues beginnt. [. . .]

Die Bilanz, die wir für 1975 und den zu Ende gehenden Fünfjahrplan ziehen können, ist sehr erfreulich; denn die abgesteckten Ziele wurden erreicht und auf einigen Gebieten sogar übertroffen. Was der VIII. Parteitag der SED beschlossen hat, ist Wirklichkeit geworden. Die auf das Wohl des Volkes gerichtete Politik trägt in allen Bereichen des gesellschaftlichen Lebens und in allen Teilen unseres Landes gute Früchte. Davon zeugen die bedeutenden Fortschritte bei der Erhöhung des materiellen und kulturellen Lebensniveaus der Werktätigen, die größere Leistungskraft der Volkswirtschaft und die wachsende Stabilität und Autorität unseres sozialistischen Staates.

Es ist eine angenehme Aufgabe, in diesen letzten Stunden des Jahres 1975 im

Auftrage des Zentralkomitees der SED, des Staatsrates, des Ministerrates und des Nationalrates der Nationalen Front der DDR den Arbeitern, Genossenschaftsbauern und der Intelligenz, den Frauen, Männern und der Jugend in den Städten und Dörfern unseres Landes, Ihnen allen, liebe Freunde und Genossen, von ganzem Herzen Dank zu sagen für Ihre verantwortungsbewußte und fleißige Arbeit. [. . .]

Gegenwärtig sind wie selten zuvor im Leben der Völker die Gegensätze sichtbar, die durch die unterschiedlichen Gesellschaftsordnungen bestimmt werden. Hunger und Arbeitslosigkeit, Inflation und Wirtschaftskrise, Existenzangst und Sorge um die Zukunft prägen das Los der Werktätigen in vielen kapitalistischen Ländern. Der Sozialismus hingegen befreite die werktätigen Menschen von Ausbeutung und Unterdrückung und macht die friedliche Arbeit zum entscheidenden Maßstab der Leistung.

Unsere Gesellschaftsordnung ist zutiefst humanistisch, weil sie jedem Bürger unabhängig von Beruf, Geschlecht und Alter eine gesicherte Perspektive bietet. Mann und Frau sind gleichberechtigt, die Familie genießt besondere Fürsorge, die Jugend kann ihre Fähigkeiten voll entfalten, und die Verdienste der älteren Generation werden hoch gewürdigt.

Seit der Befreiung unseres Volkes vom Hitlerfaschismus durch die ruhmreiche Sowjetarmee vor 30 Jahren ist die Deutsche Demokratische Republik zu einem unlösbaren Teil der aufstrebenden Welt des Sozialismus geworden. Wachsen und Gedeihen der Arbeiter-und-Bauern-Macht vollziehen sich auf dem zuverlässigen Fundament der unzerstörbaren Freundschaft mit der Sowjetunion. Weit in die Zukunft weist der vor wenigen Monaten zwischen der DDR und der UdSSR abgeschlossene neue Freundschafts- und Beistandsvertrag, der unsere Völker und Staaten noch enger zusammenführen wird. Auch mit den anderen sozialistischen Bruderländern wird die Zusammenarbeit immer fester und fruchtbarer, und die bei der sozialistischen ökonomischen Integration erzielten Ergebnisse gereichen unseren Völkern zu hohem Nutzen.

Stets ist es unser vornehmstes Anliegen, den Frieden als höchstes Gut der Menschheit zu bewahren.

Auf diesem oft noch beschwerlichen Weg sind in dem zu Ende gehenden Jahr mit dem erfolgreichen Abschluß der Konferenz über Sicherheit und Zusammenarbeit in Europa hoffnungsvolle Ergebnisse erzielt worden. Gemeinsam mit der Sowjetunion und den anderen Staaten der sozialistischen Gemeinschaft tritt unsere Republik konsequent dafür ein, daß das Erreichte dauerhaft verankert und die politische Entspannung durch eine wirksame Abrüstung sinnvoll ergänzt wird. Gleichzeitig müssen wir weiterhin wachsam bleiben, weil die Feinde der Entspannung nach wie vor am Werk sind. Noch immer wird das friedliche Leben vieler Völker durch Krieg, Gewaltanwendung, Ausbeutung und Unterdrückung bedroht. Unser sozialistischer Staat der Arbeiter und Bauern wird stets solidarisch an der Seite aller Völker stehen, die sich gegen die unheilvollen Machenschaften des Imperialismus zur Wehr setzen und für nationale Unabhängigkeit und soziale Befreiung kämpfen.

Liebe Bürgerinnen und Bürger!

Im abgelaufenen Jahr sind wir ein gutes Stück vorangekommen, aber jeder weiß, daß auch in Zukunft noch viel zu tun ist. [. . .]

Weil wir ständig vorwärtsstreben, stellen wir uns wiederum große Aufgaben. Aufbauend auf dem bisher Erreichten, wollen wir die in der Hauptaufgabe zum Ausdruck kommende Einheit von Wirtschafts- und Sozialpolitik erfolgreich fortsetzen. Zur Gewährleistung eines langfristigen, stabilen Wirtschaftswachstums sind neue Anstrengungen besonders zur Vertiefung der Intensivierung der gesellschaftlichen Produktion erforderlich.

Uns erfüllen auch an diesem Jahreswechsel Kraft und Zuversicht, die aus der bewährten Führung unseres Volkes durch die Arbeiterklasse und ihre marxistisch-leninistische Partei, aus der freundschaftlichen Zusammenarbeit aller in der Nationalen Front vereinten Kräfte, aus der Einheit und Geschlossenheit der sozialistischen Staatengemeinschaft erwachsen.

Mit dem IX. Parteitag der SED gehen wir einem bedeutenden gesellschaftlichen Ereignis entgegen, das von der Arbeiterklasse, den Genossenschaftsbauern, der Intelligenz und den anderen Werktätigen mit neuen Initiativen im sozialistischen Wettbewerb würdig vorbereitet wird. Tragen wir gemeinsam zur weiteren Gestaltung der entwickelten sozialistischen Gesellschaft, zur allseitigen Stärkung und Festigung unseres sozialistischen Vaterlandes, unserer Deutschen Demokratischen Republik, bei!

Ich wünsche Ihnen allen, liebe Bürgerinnen und Bürger, Freunde und Genossen, ein erfolgreiches Jahr 1976 und für Ihr persönliches Leben Gesundheit, viel Glück und alles Gute!

(Aus: Neues Deutschland, 1. 1. 1976, S. 1)

*

Bundeskanzler Helmut Schmidt

Ansprache des Bundeskanzlers zum Jahreswechsel 1975/76 über Rundfunk und Fernsehen

Vor einem Jahr habe ich an dieser Stelle gesagt: In 12 Monaten wird es anders und besser aussehen. Darüber will ich Ihnen heute Rechenschaft geben. Sie werden sich erinnern, daß damals die Auswirkung der Weltwirtschaftskrise unsere größte Sorge gewesen ist. Ich hatte dazu gesagt: Wir haben gut vorgesorgt. Wir betreten das neue Jahr 1975 mit sehr guten Voraussetzungen.

Inzwischen hat uns die Bundesbank und haben uns die volkswirtschaftlichen Fachleute bestätigt, daß sich der Aufschwung seit dem Sommer angekündigt hat, wenn auch zunächst nur behutsam.

Die Regierungschefs von USA, Frankreich, England, Italien, Japan und ich selbst haben vor wenigen Wochen in Rambouillet festgestellt: in der Tat sieht es heute in der ganzen Welt anders und besser aus als vor 12 Monaten.

Unsere gemeinsame Zuversicht für 1976 gründet sich darauf, daß es uns 1975 gelungen ist, die wichtigsten Industrieländer erfolgreich auf das gemeinsame Ziel der Sicherung der Beschäftigung zu orientieren. Die Regierungschefs haben in Rambouillet verabredet, 1976 ihre gemeinsame wirtschaftspolitische Linie fortzusetzen.

Das gilt übrigens auch für die Europäische Gemeinschaft, die uns ja den großen

Vorteil des Gemeinsamen Marktes gebracht hat. Die Gemeinschaft war 1975 zweimal gefährdet, aber es ist den neun Regierungschefs gelungen, sie zusammenzuhalten. Wir Deutschen haben dafür finanzielle Opfer gebracht. An praktischer Europapolitik werden wir auch künftig hinter keinem zurückstehen. Auf europäische Sonntagsreden werde ich allerdings auch 1976 verzichten. Unser Land hat bei all diesen internationalen Anstrengungen eine hilfreiche Rolle gespielt. Nicht bloß aus Idealismus, sondern auch, weil doch unsere eigene Beschäftigung vom guten Funktionieren der Weltwirtschaft abhängt. Diese Rolle wird überall draußen anerkannt. Und wer von Ihnen 1975 im Ausland gewesen ist, der hat das spüren können.

Das galt auch für das Treffen in Helsinki. Eines der wichtigsten Ergebnisse in Helsinki war die allgemeine Anerkennung, daß die USA und Kanada voll mitverantwortlich sind für Sicherheit und Zusammenarbeit in Europa.

Für uns Deutsche waren meine Verabredungen mit der DDR und mit der Volksrepublik Polen von besonderer Bedeutung. Die ersteren werden 1976 für Berlin zwei neue Übergänge öffnen, einen auf der Straße und einen auf der Schiene. [. . .] Wir haben 1975 gut für Berlin gesorgt.

Minister Genscher und ich haben in Helsinki auch für zunächst 120 000 bis 125 000 Deutsche gesorgt, die heute in Polen leben und die in den nächsten vier Jahren endlich zu uns ausreisen können. Wer als Flüchtling schon früher in die Bundesrepublik gekommen ist, der wird ermessen können, was dies menschlich bedeutet. Zugleich leisten wir einen Beitrag zur weiteren Aussöhnung mit Polen.

Natürlich kostet dies alles auch Geld, wie ja auch die Festigung der Europäischen Gemeinschaft uns Geld kostet. Das Geld ist gut angelegt. Nur Lippenbekenntnisse sind billig. [. . .]

Wenn Europa heute mehr als 30 Jahre keinen Krieg erlebt hat – und das ist in diesem Jahrhundert eine lange Zeit –, dann ist dies auch der auf Versöhnung gerichteten Politik der Bundesrepublik Deutschland zu danken. Wir werden diese Politik 1976 fortsetzen, und auch 1977 und auch danach. Wir wissen, der Friede ist gar nicht selbstverständlich. Er muß vielmehr in täglichem Handeln immer neu gefestigt werden.

Dazu gehört auch, niemand durch eigene Schwäche einzuladen, es uns gegenüber mit Drohung oder mit Gewalt zu versuchen. Deswegen werden wir auch 1976 die Bundeswehr und unser westliches Bündnis pflegen. Zugleich streben wir beiderseitige Rüstungsbegrenzung in Ost- und Westeuropa an. [. . .]

Wir schließen übrigens das alte Jahr im Bundeshaushalt mit einem besseren Ergebnis ab als erwartet. Trotz Erhöhung des Arbeitslosengeldes haben wir weniger zahlen müssen, weil die Arbeitslosigkeit eben nicht mehr gestiegen ist. Auch die anderen Staatsausgaben sind kleiner geblieben als geplant, und steigende Umsätze in der Wirtschaft haben zu höheren Steuereinnahmen geführt. Wir gehen mit einem Finanzpolster in das neue Jahr, und dabei liegen die Schulden der Bundesrepublik weit unter dem westeuropäischen Durchschnitt.

Unsere realen Nettolöhne und -gehälter liegen dagegen an höchster Stelle in der Europäischen Gemeinschaft. Unsere Masseneinkommen sind 1975 dank der Steuer- und Kindergeldreform und dank der Rentensteigerung erneut real gestiegen. Und die Renten werden 1976 noch einmal um 11 Prozent steigen und das Doppelte von 1969 erreichen.

Die Arbeitslosigkeit wird im Laufe des Jahres abnehmen. Vollbeschäftigung allerdings wird noch nicht erreicht werden, denn zunächst wird die Kurzarbeit abgebaut. Manch einer wird also auch 1976 auf die eine oder die andere Weise auf das Netz der sozialen Sicherheit angewiesen sein.

Es steht in der ganzen Welt als ein gutes Beispiel vor Augen. Ebenso wie unser Arbeitsfrieden und wie unsere vertragliche Zusammenarbeit von Arbeitgebern und Gewerkschaften. Sie werden auch 1976 sich als Kontrahenten gegenüberstehen. Sicher werden die Bäume 1976 nicht in den Himmel wachsen. Aber der Grundsatz des frei ausgehandelten Tarifvertrages wird sich erneut bewähren, der ja unseren großen Reallohnanstieg erst ermöglicht hat.

Und auch 1976 wird der Gesetzgeber ein Stück sozialer Gerechtigkeit hinzufügen. Ich spreche von der Mitbestimmung, die wir im nächsten Jahr für alle Großunternehmen in allen Wirtschaftszweigen einführen wollen.

Ich freue mich über die Meinungsumfragen, die uns zeigen, daß über 70 Prozent unseres Volkes ihre eigene soziale und wirtschaftliche Lage heute als befriedigend und als gut ansehen. Und ich bin froh, daß Sie, meine Damen und Herren, auf unser Netz der sozialen Sicherheit vertrauen. [. . .] Gerade die soziale Geborgenheit des einzelnen ist es doch, die unserem Staat jene innere Stabilität gibt, um die man uns beneidet.

Wir sind entschiedene Gegner jeglicher Gewalttat. Jeder von uns hat die Gewalttaten in Beilen und in Wien und vorher in Berlin und in Stockholm mit Entsetzen verfolgt. Unser Rechtsstaat hat sich nicht in die Knie zwingen lassen. Und auch in Zukunft müssen wir unsere freiheitliche Ordnung gegen jeden verteidigen, der sie zerstören will. Auf die Bundesregierung ist darin Verlaß.

Der Wahlkampf wird 1976 harte Auseinandersetzungen mit sich bringen. Das ist gut, soweit es um die Klärung der Sache geht. Es wäre schlecht, wenn Parteien und Kandidaten nur einfach aufeinander losschlügen. [. . .]

Mir hat das Jahr 1975 gezeigt, daß die schwierigen Probleme nicht mit ruhiger Hand zu lösen gewesen wären, wenn wir nicht diesen festen Bestand gemeinsamer Grundüberzeugungen hätten. Daß diese im Wahlkampf unbeschädigt bleiben, das ist mein Wunsch für 1976.

An diesem Jahresende aber kann ich mit gutem Gewissen sagen, daß wir im Willen zum sozialen Ausgleich und mit Augenmaß die Herausforderungen des neuen Jahres erfolgreich bestehen werden.

Ich wünsche Ihnen ein gutes neues Jahr.

(Aus: Bulletin des Presse- und Informationsamtes der Bundesregierung, 2. 1. 1976, S. 5–6)

7. Berichterstattung über die Gespräche zwischen dem Vorsitzenden des Ministerrates der Deutschen Demokratischen Republik Willi Stoph und dem Kanzler der Bundesrepublik Deutschland Willy Brandt in Erfurt und Kassel

Erfurt, 19. 3. 1970

Schlagzeilen:

Das erste deutsche Gipfeltreffen: Stoph konfrontiert Brandt mit harten Forderungen
Trotz Gegensatz neues Gespräch
Zweites Treffen am 21. Mai in Kassel
Sprechchöre für den Bundeskanzler
Sachlich-nüchterne Atmosphäre
Ost-Berlin verlangt Wiedergutmachung
Bonn: Mehr Freizügigkeit

Leitartikel:

Harte Sprache und werbender Ton

Was war nun das Wichtigste an der Begegnung in Erfurt? Der Austausch der Reden und der Meinungsaustausch oder der spontane Ausbruch der Menschenmassen vor dem Bahnhof, der nicht nur dem deutschen Bundeskanzler zeigte, daß er die Deutschen in der Zone mehr vertritt, als ihm im Augenblick vielleicht lieb ist? Dieser Manifestation des Willens zur Nation kommt die Priorität zu; nicht die diplomatische zwar, wohl aber die historische.

Hinter den schützenden Mauern des Hotels, hinter den verschlossenen Türen, sah es dann anders aus. Willy Brandt, nach seinem Zeugnis von Gefühlen nicht frei, antwortete würdig, unpolemisch, ja in werbendem Ton auf die Rede seines Kollegen, die in ganzen Passagen einer Anklagerede glich. Stoph schenkte dem Besucher aus Bonn nichts, er bot nicht die geringste Konzession an, er machte nicht die leiseste Andeutung eines Entgegenkommens. In einer Reparationsandeutung von 100 Milliarden Mark endete die unerbittliche Betrachtung.

Hatte Brandt solche Härte erwartet? Gefror ihm das Blut in den Adern, als der andere Deutsche die volle Selbstgerechtigkeit seiner ideologischen Geschichts- und Gegenwartsbetrachtung herauskehrte? Ja, es war zu erwarten gewesen, daß es in Erfurt so verlaufen würde; daß der Katalog der Forderungen wie selbstverständlich über die völkerrechtliche Anerkennung hinaus ausgedehnt würde; daß der Degen spröder Rhetorik sich gegen die westlichen Bindungen unseres Staates, die Pariser Verträge, gegen die Bundeswehr und Helmut Schmidt im besonderen und nicht zuletzt gegen die Position West-Berlins wenden würde.

Der Kanzler ist zu bewundern ob seiner Gelassenheit. Hätte er sich auch nur im Ton der Redensart seines Gastgebers genähert – die Versammlung wäre aufgeflogen. Er mußte sich sagen lassen, das werktätige Volk gestalte drüben in „freier Selbstbestimmung" die sozialistische Gesellschaft, und es habe mit „überwältigender Mehrheit in einem demokratischen Volksentscheid" seine sozialistische Verfassung beschlossen. Brandt ließ die Propaganda ablaufen und spann Stoph in die Offerte praktischer Gespräche ein.

Ob seine Antwort den Vorsitzenden des Ministerrates beeindruckte, steht dahin. Friedensliebe, Entgegenkommen, Konzessionsbereitschaft bis an lebenswichtige Grenzen besonders der Berlin-Politik klangen durch. Auch die menschlichen Erleichterungen kamen schließlich ins Spiel. Insgesamt mußte jedoch die Rede Brandts angesichts der anklägerischen Sprache der anderen Seite defensiv wirken.

Eine seltsame Umkehrung der deutschen Situation.

Herbert Kremp

Reportage:

Der Vorhang zerriß – für einen Augenblick
Unter roten Fahnen dem „Kapitalisten" spontanen Beifall

Die erste Reise eines westdeutschen Bundeskanzlers in den mitteldeutschen Staat, der sich aus der sowjetischen Besatzungszone im Laufe von zwanzig Jahren entwickelt hat, verlief nicht so, wie man diesseits und jenseits der Demarkationslinie erwartet hatte: Aus der protokollarisch geplanten und dosierten Höflichkeit brach die Menge unversehens aus.

Früh am Donnerstagmorgen erschienen Volkspolizisten und Sicherheitsbeamte in Zivil auf dem Erfurter Bahnhofsplatz, um eine etwa 150 Meter breite Gasse zwischen dem wilhelminischen Gebäude und dem Hotel „Erfurter Hof" abzustecken: Rote Seile sollten die Delegationen von der Bevölkerung trennen. Für prominente Besucher hatte das Ostberliner Protokoll zwei Tribünen erstellen lassen.

Die Mühewaltung der Einheitspartei war vergeblich. Brandts „gesamtdeutscher Zug" rollte pünktlich um 9.30 Uhr auf dem Bahnsteig ein. Die beiden Delegationen stellten sich formlos vor. Kaum aber hatten sie den Bahnhof verlassen, um den 50 Meter breiten Platz zu überqueren, da durchbrachen etwa 2000 Erfurter, in der Mehrzahl Jugendliche, alle Absperrungen.

Die Menge rief spontan und mit zunehmender Intensität: „Willy, Willy!" Erst lächelte „DDR"-Ministerpräsident Willi Stoph noch geschmeichelt und winkte. Nun wurde der Sprechchor auf „Willy Brandt, Willy Brandt" verlängert – und Stoph brach Lächeln und Geste ab. Schnell verschwand die Gruppe im Hotelportal.

Indessen rief die Menge, nun immer lauter: „Willy Brandt ans Fenster!" Als der Bonner Regierungssprecher Ahlers herabwinkte, wurde er mit Beifall begrüßt, aber auch mit neuen Rufen: „Willy Brandt zum Fenster!" Erst nachdem sich der Bundeskanzler für eine Minute gezeigt und der Menge beruhigend zugewinkt hatte, verebbten die Chöre.

Die Sympathiekundgebung in Erfurt war von den „DDR"-Behörden in dieser Spontaneität und Heftigkeit offenkundig nicht erwartet worden. Schon die Hochrufe auf Willy Brandt schienen die Absperrposten zu irritieren. Nachdem aber Punkt zehn Uhr im Hotel die nichtöffentliche Besprechung begonnen hatte, bildeten sich auf der Straße Diskussionsgruppen. „Wir fordern freie und geheime Wahlen", erklärte ein Student aus Erfurt ungescheut. Ein anderer meinte: „Was wir vor allem wünschen, ist frei zu reisen und unsere Meinung zu sagen und alles lesen zu dürfen, was wir wollen." Auch an anderen Stellen des Erfurter Stadtzentrums ließ die Bevölkerung ihre Sympathie für die westdeutsche Delegation erkennen, wo immer westliche Korrespondenten auftauchten. „Brandt soll ein Vertreter des Monopolkapitals sein? Wir sollen wohl lachen!" – Solche und ähnliche Redensarten waren zu hören. Schließlich mobilisierte die SED ihre Vertrauensleute.

Auf dem Platz vor dem Hotel wurde dann gegen Mittag zunehmend die Präsenz geschulter Debatter spürbar. Die Tendenz der Funktionäre war, die Diskussion wieder auf die SED-Forderung zurückzuleiten: „Wir wollen die völkerrechtliche Anerkennung der DDR."

Das Gerangel mit der Ordnungspolizei auf dem Bahnhofsplatz, die Sympathiekundgebungen für Brandt, die Sprechchöre – das „DDR"-Fernsehen übertrug das alles nicht „live". Dagegen standen die vier Erfurter Zeitungen gestern im Zeichen des „deutschen Gipfels". Die Hauptaufmachungen waren allerdings der bevorstehenden Kommunalwahl in der „DDR" gewidmet. Darunter aber folgten jeweils Berichte über die letzten Vorbereitungen für das Treffen. Es war die Rede von den „Ovationen", mit denen die „DDR"-Bevölkerung die ankommende „DDR"-Delegation begrüßt habe. Die Kommentare liefen allerdings durchweg darauf hinaus, daß ein Staatsvertrag auf der Basis der Gleichberechtigung angestrebt werden müsse.

Der Staatssekretär der Zonenregierung, Michael Kohl, sowie Ulbrichts Protokollchef Horst Hain hatten Brandts Sonderzug an der Grenzstation Gerstungen erwartet, um ein offizielles Willkommen auszusprechen. Kohl erklärte auf dem mit den Flaggen West- und Mitteldeutschlands geschmückten Bahnhof, das Erfurter Treffen möge im Interesse des Friedens und der europäischen Sicherheit einen guten Verlauf nehmen. Brandt dankte und bat den Staatssekretär, im Salonwagen Platz zu nehmen. Der Grenzbahnhof Gerstungen, der Bahnhof Erfurt sowie das Hotel „Erfurter Hof" waren im übrigen die einzigen Punkte, an denen die „DDR" die Fahnen beider deutscher Staaten gehißt hatte.

Auf der rund 80 km langen Strecke von der Grenze bis Erfurt zeigte sich die Bevölkerung über Brandts Anreise offensichtlich genau orientiert. Überall standen Menschen, vor allem Frauen, an den Straßenübergängen und an den Fenstern, um dem Sonderzug zuzuwinken. Besonders dicht drängte sich die Bevölkerung in Eisenach. Die Großbetriebe an der Strecke, etwa das Automobilwerk VEB Eisenach, waren rot beflaggt. Der Kanzler stand zeitweilig am Zugfenster, enthielt sich aber spektakulärer Gefühlsäußerungen.

Schon im Zug hatte der Bundeskanzler gegenüber mitreisenden Journalisten erklärt, die große Frage sei, ob die mitteldeutsche Seite sich stark genug fühle, „um mit uns mit einer gewissen Unbefangenheit zu reden". Nach dem „stürmischen" Vormittag in Erfurt mehrten sich in Brandts Umgebung die Besorgnisse, die enthusiastische Reaktion der Menge könne möglicherweise zu einer Verhärtung der SED-Haltung während der kommenden Gespräche führen.

In einer schwarzen „Tschaika"-Limousine, auf der die Dienstflagge des Bundeskanzlers und der Stander der „DDR" aufgesteckt waren, fuhr Brandt in Begleitung von DDR-Außenminister Otto Winzer am Nachmittag in das ehemalige Konzentrationslager Buchenwald. Dort legte er zu Ehren der Opfer des Nationalsozialismus einen Kranz nieder. Als Brandt zu dem Mahnmal ging, trugen zwei Unteroffiziere der NVA den Kranz aus Tannengrün mit weißen Nelken und einer schwarz-rot-goldenen Schleife mit der Aufschrift „Bundesrepublik Deutschland". Als die beiden Unteroffiziere den Kranz zum Mahnmal brachten, präsentierte eine Ehrenformation der Volksarmee die Maschinenpistolen. Anschließend spielte die Volksarmee erst das Deutschlandlied und dann die „DDR"-Hymne.

(Alle Beiträge aus: Die Welt, 20. 3. 1970, S. 1–3)

*

Kassel, 21. 5. 1970

Schlagzeilen:

Willi Stoph in Kassel: Die DDR tritt unbeirrbar für den Frieden und die Sicherheit ein
Gleichberechtigte völkerrechtliche Beziehungen zwischen DDR und BRD sind unausweichlich
Brandt sagte wieder nein
Tausende westdeutsche Bürger riefen: „Anerkennen! Anerkennen! Hoch Willi Stoph! Reden ist Silber, Anerkennen ist Gold!"
Auch am Tage des Treffens empörende Provokationen revanchistischer und neonazistischer Kräfte gegen die DDR und ihre Repräsentanten in Kassel
Nazistischer Terror, Flaggenschändung und wüste Ausschreitungen – das steckt hinter Bonns Gerede von Frieden, Freiheit und Menschlichkeit

Leitartikel:

Was ist das für ein Staat?

Der inhaltsschwere Katalog neonazistischer Exzesse in Kassel [. . .] ist die Visitenkarte, treffender muß man wohl sagen, der Steckbrief, den der Bonner Staat gestern der Welt von sich selbst präsentiert hat. Abscheu und Empörung bleiben blasse Worte für die Empfindungen, die uns, die alle anständigen Menschen, auch in Westdeutschland, angesichts der widerwärtigen Ausschreitungen erfüllen. Abscheu und Empörung – ja, Überraschung nicht. In Kassel hat sich drastisch enthüllt, worauf wir seit Jahr und Tag hinweisen: die braune Anatomie des Systems.

Was sich gestern an neonazistischer Willkür über die Straßen Kassels ergoß, hatte seine Schatten lange vorausgeworfen. So stellte bekanntlich der Herausgeber der faschistischen „National-Zeitung" vor Wochen frech einen Strafantrag gegen den Vorsitzenden des Ministerrates der DDR. Diese Provokation eines Nazihetzers gegen den Antifaschisten Willi Stoph wurde von der Bonner Justiz nicht etwa mit einer Strafverfolgung des Provokateurs beantwortet, sondern eifrig entgegengenommen und bearbeitet. Der Vorsitzende des Ministerrates der DDR hatte daraufhin am 5. Mai den Bonner Kanzler nachdrücklich auf seine Verantwortung aufmerksam gemacht, solche gegen das Zustandekommen des Kasseler Treffens gerichteten Provokationen mit aller Entschiedenheit zu unterbinden. Brandt hat seinerzeit erwidert, daß der DDR-Delegation in Kassel gleiche Bedingungen, gleiche Sicherheit garantiert würden, wie sie die westdeutsche Abordnung in Erfurt genossen hat.

Entgegen den Beteuerungen Brandts hat jedoch nach diesem Datum das neonazistische Gelichter, von Thadden bis zu den Berufsvertriebenen und den Schlägertrupps der CDU, verstärkt die Mobilmachung seiner Kräfte betrieben. Am Vorabend des 21. Mai gipfelte die Hetzwelle in der von der „Süddeutschen Zeitung" abgedruckten Anweisung zum Meuchelmord an Genossen Stoph: Es werde sich „sicher ein deutscher Mann finden, der hinter dem Zielfernrohr den Finger krumm macht". Folgerichtig brach gestern in Kassel die Drachensaat auf.

Was ist das für ein Staat, muß man sich fragen, in dem es unmöglich ist, die Sicherheit des Regierungschefs eines anderen Staates von seinem Eintreffen an zu gewährleisten?

Was ist das für ein Staat, in dem verhetzte Achtgroschenjungen die Fahne des anderen staatlichen Verhandlungspartners unter den Augen eines ganzen Gewimmels von sogenannten Sicherungskräften vom Mast holen und schänden konnten?

Was ist das für ein Staat, in dem es unmöglich ist, zu dem vereinbarten Zeitpunkt ein Ehrenmal für Opfer des Faschismus aufzusuchen, weil es – wie der Bonner Kanzler bekennen mußte – für die Delegation aus Sicherheitsgründen nicht möglich sei, die vorgesehene Kranzniederlegung durchzuführen? Eine schamlosere Beleidigung des Andenkens aller Opfer des Faschismus ist schwerlich vorstellbar!

Die ganze Welt schaut voller Abscheu auf einen solchen Staat. Kassel hat schlaglichtartig die ganze Gefahr des Revanchismus und des Neonazismus erhellt. Kassel hat gezeigt, daß Revanchismus und Neonazismus in der westdeutschen Landschaft in voller Blüte stehen. Kassel hat gezeigt, daß die Neonazis nicht allein, sondern mit den konservativen Kräften der CDU/CSU „in konzertierter Aktion" am Werke sind. Kassel lenkt den Blick der Welt auf die revanchistische Bundeswehr, die weiter aufgerüstet wird. Kassel macht in erschreckender Weise deutlich, welche Früchte die Erziehung im Geiste des Revanchismus bei großen Teilen der westdeutschen Jugend trägt.

Angesichts dieser Situation verstehen wir die Dinge so: Wenn die Regierung Brandt wirklich Friedenspolitik betreiben wollte, müßte sie den Kampf so führen, wie wir ihn in der DDR nach 1945 geführt haben. Um so eigenartiger mutet an, daß Brandt in seiner zweiten Rede während des Kasseler Treffens offen die Positionen von Barzel und Strauß gegen die Friedens- und Entspannungsvorschläge von Willi Stoph verteidigt hat. Brandt hat seinerzeit erklärt, auch er sei dafür, daß von deutschem Boden niemals wieder ein Krieg ausgehe. Aber die in Kassel sichtbar gewordenen Tatsachen, die für die politische Entwicklung in Westdeutschland überhaupt stehen, sprechen eine andere Sprache.

Kassel beweist: Um der Gefahr des Neonazismus und Revanchismus zu begegnen, muß eine grundlegende Wende in der Bonner Politik herbeigeführt, muß die Chance genutzt werden, die der Vertragsentwurf der DDR gibt.

Reportage:

Vieltausendfache Rufe nach DDR-Anerkennung.
Der 21. Mai in Kassel

Bebra war die erste Station jenseits der Staatsgrenze der DDR. Der Bonner Staatssekretär Ahlers begrüßte hier auf dem Bahnhof den Vorsitzenden des Ministerrates der DDR, Willi Stoph, und die ihn begleitende Delegation. Bebra war auch die erste westdeutsche Station, auf der Willi Stoph, Außenminister Otto Winzer und die anderen DDR-Repräsentanten von der Bevölkerung mit großem Jubel empfangen wurden. Entlang des Bahnsteiges hatten viele hundert, vorwiegend jugendliche Demokraten Aufstellung genommen. Als um 8.30 Uhr der Sonderzug einfuhr – Willi Stoph und Otto Winzer standen am offenen Fenster – riefen sie: „Wir grüßen Willi Stoph", „Willi Stoph im Hessenland, die DDR wird anerkannt", „Willi Stoph, hoch, hoch, hoch". [. . .]

Der Bezirksvorsitzende der DKP Hessen, Sepp Meyer, hatte diese Gelegenheit genutzt, um dem Vorsitzenden des Ministerrates der DDR ein Grußschreiben zu übergeben, in dem die Kommunisten dieses Bundeslandes mitteilen, daß sie aus vielen tausend Gesprächen wissen, wie stark der Wunsch der hessischen Bevölkerung nach einer Normalisierung der Beziehungen zwischen der DDR und der BRD ist. Deshalb habe man auch in den letzten Tagen und Wochen mit großer Sorge die Maßnahmen der Bundesregierung gesehen, am Alleinvertretungsanspruch gegenüber der DDR festzuhalten. Aufgabe der alten Bonner Positionen – das ist die Forderung, die hier in Bebra in einem Wald von Transparenten zum Ausdruck kam. „Reden ist Silber, Anerkennung ist Gold", „Schluß mit der 20jährigen Hetze gegen die DDR", „Die Zukunft sichern – DDR anerkennen", „Auch wenn Strauß noch so hetzt, Anerkennung jetzt!", „Mehr Demokratie wagen – die DDR anerkennen" – waren einige der vielen Losungen, die man entlang des Bahnsteiges lesen konnte. Mit dieser Begrüßung war ein bemerkenswerter Akzent gesetzt worden, der bei der Ankunft in Kassel noch verstärkt wurde und der vor allem in Hunderten Briefen, Telegrammen und Telefonanrufen an die Adresse unserer Delegation auf der Kasseler Wilhelmshöhe seinen Ausdruck fand.

Knapp 40 Minuten nach der Abfahrt aus Bebra traf der DDR-Regierungs-Sonderzug um 9.30 Uhr auf dem Bahnhof Kassel-Wilhelmshöhe ein. Willi Stoph wurde zunächst durch den westdeutschen Bundeskanzler Willy Brandt, die anderen Mitglieder der westdeutschen Delegation, den hessischen Ministerpräsidenten Osswald und den Kasseler Oberbürgermeister Dr. Branner begrüßt. Der Bahnhof war mit den Fahnen der DDR und der Bundesrepublik geschmückt. In einem Wagen mit den Standern der DDR und der BRD fuhren Willi Stoph und Willy Brandt, von einer Ehreneskorte begleitet, durch eine dicht gedrängt stehende Menschenmenge bis zum Tagungsort Schloßhotel Wilhelmshöhe. Die drei Kilometer lange Fahrstrecke war von einer tiefgestaffelten Menschenmenge gesäumt, und die erdrückende Mehrheit grüßte Willi Stoph mit großer Herzlichkeit.

„Hoch, hoch, Willi Stoph" dröhnten die Sprechchöre durch Kassels Straßen und immer wieder die Forderung an den Kanzler der BRD: „DDR anerkennen". Die Meinung der Demokraten in Westdeutschland, die am Donnerstag in großer Zahl aus allen Teilen der Bundesrepublik nach Kassel gekommen waren, drückte sich auch in den von ihnen mitgeführten Transparenten aus. Dabei wurde auch der westdeutsche Kanzler mit Problemen seiner Politik konfrontiert. Man fragte ihn auf Spruchbändern: „Ist der aggressive USA-Imperialismus immer noch Ihr bester Verbündeter, Herr Brandt?" und forderte ihn zur Verurteilung des USA-Krieges gegen die Völker von Vietnam und Kambodscha auf. Die in Westdeutschland so oft im Munde geführte Menschlichkeit nahmen sich andere aufs Korn. Auf ihren Transparenten las man: „Für Menschlichkeit – Mitbestimmung in den Betrieben", „Menschlich sein – Preise runter, Löhne rauf" und „Für menschliche Beziehungen – Schluß mit dem Mietwucher".

Die Fahrt zum Tagungsort auf der Wilhelmshöhe wurde allerdings auch von Neofaschisten und Revanchisten zu Völkerhetze und Provokationen mißbraucht. Verschiedentlich wurden von ihnen Knallkörper gegen die Fahrzeuge geworfen, Demokraten bedroht und tätlich angegriffen. Bei solchen Provokationen fiel wiederholt auf, daß die Polizei nicht oder nur nach mehrmaliger Aufforderung eingriff.

Hunderte Pressevertreter, unter die sich – wie sich später herausstellte – einige offenbar geduldete Provokateure mischen konnten, erwarteten die Wagenkolonne, die kurz vor zehn Uhr vor dem Schloßhotel auf der Wilhelmshöhe vorfuhr. Während beide Delegationen unter dem Surren der Kameras und dem Aufflammen der Blitzlichter im Tagungsraum Platz nahmen, spielte sich draußen der unglaubliche Skandal ab. Vor dem Gebäude des Treffens wurde die Staatsflagge der DDR durch drei aus Schleswig-Holstein eingeschleuste Elemente heruntergerissen und geschändet. [. . .]

Für die Mittagspause hatte der Vorsitzende des Ministerrates der DDR, Willi Stoph, eine Kranzniederlegung am Kasseler Ehrenmal für die Opfer des Faschismus geplant. Die mit einem Riesenaufgebot in Kassel vertretene Polizei war jedoch nicht in der Lage, die Sicherheit der Gäste aus der DDR zu gewährleisten, und so mußte die Ehrung der Opfer des Faschismus abgesagt werden. [. . .] NPD-Mitglieder und Angehörige der CSU-Freundeskreise hatten schon am Donnerstag Vormittag, mit vielen Hetzlosungen ausgerüstet, das Gelände um das Denkmal besetzt.

Trotz der ungeheuerlichen Provokationen der Neonazis und Revanchisten ließen es sich der Vorsitzende des Ministerrates der DDR und seine Begleitung nicht nehmen, die Opfer des faschistischen Terrors an der Gedenkstätte in Kassel durch eine Kranzniederlegung zu ehren. Die schwarzrotgoldene Schleife mit dem DDR-Emblem am Kranz des Vorsitzenden des Ministerrates der DDR trägt die Inschrift: „Den unsterblichen Opfern des Faschismus, die ihr Leben für Frieden und Fortschritt gaben". Nachdem die Ehrung im Laufe des Tages unmöglich gemacht worden war und die westdeutsche Regierung keine Sicherheit für die DDR-Delegation vor neonazistischen Ausschreitungen gewährleisten konnte, war es erst bei Einbruch der Dunkelheit möglich, die Ehrung am Mahnmal vorzunehmen. Dieser Schritt des Vorsitzenden des Ministerrates der DDR fand die Achtung und Zustimmung zahlreicher Vertreter der Kasseler Arbeiterschaft und anderer progressiver Kräfte, die Willi Stoph und seine Begleitung beim Eintreffen am Mahnmal begrüßten.

Mehr als 6000 Befürworter einer völkerrechtlichen Anerkennung der DDR hatten sich am Nachmittag auf einer Kundgebung der DKP zusammengefunden. [. . .]

Herzlich begrüßt von den 6000 wurde Paul Albrecht vom FDGB-Bezirksvorstand Halle, der der Kundgebung die Grüße der Werktätigen der DDR überbrachte. [. . .]

Im Verlaufe des Tages hatte eine Abordnung des SDAJ-Bundesvorstandes und der Spartakusgruppen an den westdeutschen Universitäten der DDR-Delegation in Kassel zahlreiche von Hunderten Studenten unterzeichnete Resolutionen übergeben, in denen die völkerrechtliche Anerkennung der DDR gefordert wird. DDR-Delegationsmitglied Dr. Gerhard Schüßler empfing die Delegation zu einem längeren Gespräch. Die westdeutsche Delegation ließ die SDAJ-Funktionäre eineinhalb Stunden warten und lehnte es dann ab, auch nur die Resolutionen entgegenzunehmen. [. . .]

Nach einem Abendessen im Schloßhotel hatten sich die Delegationen der DDR und der Bundesrepublik gegen 21.45 Uhr zum Bahnhof Kassel-Wilhelmshöhe begeben, von wo aus die Delegation der DDR unter Leitung von Ministerpräsident Willi Stoph um 22.00 Uhr die Heimreise antrat. Ministerpräsident Stoph wurde auf dem Bahnsteig von Bundeskanzler Brandt verabschiedet.

Harri Czepuck, Günter Böhme

(Alle Beiträge aus: Neues Deutschland, 22. 5. 1970, S. 1, 2, 5)

8. Todesanzeigen*

Am Donnerstag, dem 27. März 1975, starb nach langer schwerer Krankheit, kurz nach Vollendung seines 73. Lebensjahres, der ehemalige Direktor der DEWAG, Genosse

Xxxx Xxxxxx

Ehrenvorsitzender des Bezirksausschusses Berlin der Volkssolidarität, Träger des Vaterländischen Verdienstordens in Gold und Silber und der Medaille „Kämpfer gegen den Faschismus von 1933–1945", der Ehrennadel in Gold für hervorragende Solidaritätsarbeit und der Ehrennadel der Deutsch-Sowjetischen Freundschaft in Gold und anderer hoher Auszeichnungen.

Mit ihm verlieren wir einen kampferprobten, pflichttreuen Genossen, dessen ganzes Wirken von unerschütterlichem Klassenbewußtsein und fester Verbundenheit zu den Werktätigen geprägt war. Er widmete sein Leben der Sache der Arbeiterklasse und dem Aufbau des Sozialismus in der Deutschen Demokratischen Republik. Er wird uns immer Vorbild bleiben.
Sein Andenken werden wir stets in Ehren halten.

DEWAG Generaldirektion
BPO   **Generaldirektor**   **BGL**

(Aus: Neues Deutschland, 5. 11. 1975, S. 5)

Unsere liebe Mutti und Omi, die standhafte und aufrichtige Kommunistin, Genossin

Xxxx Xxxxxx

Trägerin der Medaille „Kämpfer gegen den Faschismus 1933–1945" des „Vaterländischen Verdienstordens" sowie weiterer staatlicher und gesellschaftlicher Auszeichnungen

ist für immer von uns gegangen.

Gisela, Wolfgang und Martina A.

Die Trauerfeier findet am Mittwoch, dem 26. November 1975, um 14.00 Uhr im „Capitol" Finkenkrug statt.

(Aus: Neues Deutschland, 22./23. 11. 1975, S. 5)

* Die Namen der Verstorbenen und die Familiennamen der Angehörigen wurden unkenntlich gemacht.

Tief erschüttert erhielten wir die Nachricht, daß unser Genosse
Rb.-Amtmann

Xxxxxx Xxxx

Gruppenleiter im Bereich Technik
Aktivist der sozialistischen Arbeit
und Mitglied eines Kollektivs der sozialistischen Arbeit

am Dienstag, dem 26. 11. 1974, an den Folgen eines tragischen
Verkehrsunfalls im Alter von 29 Jahren verstorben ist.

Wir verlieren in ihm einen pflichtbewußten und stets einsatzbe-
reiten Genossen, der sich jederzeit mit ganzer Kraft für die weitere
Entwicklung des Betriebes und unserer sozialistischen Gesellschaft einsetzte.

Wir werden sein Andenken immer in Ehren halten.

RAW „EINHEIT" LEIPZIG

BPO   Werkdirektor   BGL

Die Trauerfeier findet am Dienstag, dem 17. Dezember 1974,
15 Uhr, auf dem Südfriedhof statt.

(Aus: Leipziger Volkszeitung. Organ der Bezirksleitung Leipzig der SED, 12. 12. 1974,
S. 15)

Nach langer, tapfer ertragener Krankheit starb im 75. Lebensjahr am
8. Januar 1976 unsere liebe Mutter, Großmutter und Uromi, Genossin

Medizinalrat Dr. med.

Xxxxx Xxxxxx geb. A.

„Verdienter Arzt des Volkes"
Träger hoher staatlicher Auszeichnungen

Als Kommunist und Arzt widmete sie ihr kämpferisches und arbeits-
reiches Leben der Entwicklung des sozialistischen Gesundheitswe-
sens.

Die Kinder
Ariste B.
Cary C.
Andreas XX
Dr. Gisela D.
Hilde E.
Volker XX
und Angehörige

1166 Berlin, im Januar 1976

Die Urnenbeisetzung findet am 4. Februar 1976 um 13 Uhr auf dem
Friedhof Rudower Straße in Berlin-Köpenick statt.

(Aus: Neues Deutschland, 22. 1. 1976, S. 5)

*

Am 17. Januar 1976 verstarb plötzlich und unerwartet der Generalbevollmächtigte und Justitiar unserer Gesellschaft, Herr

Rechtsanwalt Dr. jur.

Xxxx Xxxxxx

kurz vor Vollendung seines 53. Lebensjahres.

Der Verstorbene trat 1954 in unsere Rechtsabteilung ein, die er ab 1969 als Hauptabteilung leitete. Seine umfassenden juristischen Kenntnisse und sein großes Wissen um wirtschaftliche Zusammenhänge befähigten ihn, an allen für die Entwicklung unserer Gesellschaft bedeutsamen Beschlüssen entscheidend mitzuwirken. Tatkräftig und weitsichtig nahm er sich der ihm gestellten Aufgaben an. Treue zu Rheinstahl und das Wohlergehen des Unternehmens waren Richtschnur seines Handelns. Sein sachlicher, besonnener Rat, seine Fähigkeit, ausgleichend zu wirken, und seine reichen Erfahrungen, die er als Aufsichtsrats- und Beiratsmitglied auch zahlreichen Gremien unseres weitgespannten Interessenbereichs zur Verfügung stellte, waren für uns stets sehr wertvoll.

Mit Dr. X X verlieren wir einen vielfach bewährten Mitarbeiter von höhem und vorbildlichem Pflichtgefühl. Lauterkeit der Gesinnung und verantwortungsbewußtes Handeln prägten seine Persönlichkeit. Wir schulden ihm Dank und werden ihm ein ehrendes Andenken bewahren.

Vorstand, Betriebsrat und Belegschaft
RHEINSTAHL
Aktiengesellschaft

Essen, den 19. Januar 1976

Die Trauerfeier findet am Donnerstag, dem 22. Januar 1976, 11.00 Uhr in der Kirche St. Markus, Essen-Bredeney, Frankenstr. 370, die Beisetzung anschließend auf dem Pfarrfriedhof statt.

Es liegt im Sinne des Verstorbenen, wenn anstelle von Kranzspenden der Pfarrcaritas St. Markus, Konto Stadtsparkasse Essen, Nr. 8746943, gedacht wird.

(Aus: Die Welt, 20. 1. 1976, S. 12)

F.-D. A.

* 24. 8. 1954   † 26. 2. 1976

Unser lieber

Xxxx Xxxxx

hat uns verlassen. Er starb als überzeugter Gegner des Militärs einen sinnlosen Tod bei der Bundeswehr.

Claus und Gerda A.
Bernd, Ralph und Marc
Elsbeth A.

534 Bad Honnef-Rhöndorf

Die Trauerfeier findet statt Montag, den 8. März 1976, um 11 Uhr in der Kapelle des Waldfriedhofes in Bad Honnef-Rhöndorf.

Anschließend ist die Beisetzung der Urne.

(Aus: General-Anzeiger, Bonn, 6./7. 3. 1976, S. 20)

Tapfer, edel und treu.

Xxxx Xxxxxx

* 9. 12. 1901 in Kassel   † 27. 3. 1976 in Essen

Mein geliebter Mann

Burschenschafter in Marburg und Saarbrücken
Infanterieunteroffizier und Ritterkreuzträger in Rußland
Rechtsanwalt und Notar in Essen

hat mich heute, nach schwerem Leiden, für immer verlassen.

In Trauer und Schmerz
M. L. XX geb. A.
im Namen der Familie und Freunde

4300 Essen 1

Die Trauerfeier zur Einäscherung findet im engsten Familienkreis statt. Von Beileidsbesuchen bitten wir abzusehen.

(Aus: Die Welt, 29. 3. 1976, S. 12)

In Dankbarkeit und Verehrung rufen wir zum Abschied Herrn

Bergassessor a. D.

Xxxx Xxxxxx

ein letztes Glückauf zu.

Er hat 25 Jahre lang unser Unternehmen als Repräsentant geleitet und zur heutigen Bedeutung geführt. Unternehmerischer Mut, technisch neue Wege beim Teufen von Schächten sowie Leistungsdenken, verbunden mit menschlicher Wärme und Größe, kennzeichnen seinen beruflichen Lebensweg. Sein Wirken und seine Erfolge bleiben uns Ansporn und Vorbild.

Gewerken, Grubenvorstand, Betriebsrat und Mitarbeiter
der
Gewerkschaft Walter, Essen

(Aus: Die Welt, 22. 3. 1976, S. 12)

9. Sportberichte

Fußballweltmeisterschaft 1974

Hamburg, 22. 6. 1974 – 1. Finalrunde Gruppe I:
Deutsche Demokratische Republik – Bundesrepublik Deutschland

Hamburger Triumph brachte Gruppensieg. Nach prächtigem Kampf verdientes 1:0

In der Nacht, die dem 1:1 der DDR gegen Chile folgte, war aus dem DDR-Quartier in Quickborn ein Betreuer nach Kettwig aufgebrochen, um dort die letzten Einzelheiten für den Umzug der Mannschaft zu regeln, da sie für die zweite Finalrunde dorthin überzusiedeln gedachte. Erstaunte Fragen, ob das nicht voreilig wäre, wurden mit dem Hinweis beantwortet, daß man optimistisch das gesteckte Ziel weiter im Auge behalte. Am nächsten Morgen beantwortete Trainer

Georg Buschner eine ND-Frage, ob er glaube, daß die Mannschaft ihren imponierenden Rekord fünfzehn niederlagenloser Spiele auch über das letzte Finalrundenspiel behaupten werde, mit den Worten: „Ich glaube fest daran!"

Das alles waren Symptome von solidem und gesundem Optimismus, vertrauend auf die Kräfte der Mannschaft. Wie berechtigt sie waren, zeigte sich am Sonnabendabend im Hamburger Volksparkstadion, wo die DDR-Elf eine vor allem kluge Partie lieferte. Ein Spiel gegen einen bekanntlich hochfavorisierten Gegner, von dem man auch wußte, wie sehr ihm an einem deutlichen Erfolg über die DDR lag. Tatsächlich bestimmte der Gastgeber dann auch über weite Strecken das Spiel, aber unsere Aktiven gingen fast schulmäßig in diesem Fall vor, wehrten besonnen alle Angriffe ab und stießen dann blitzschnell in die durch das pausenlose Drängen entstehenden Lücken.

Eine dieser Konterattacken schloß Jürgen Sparwasser mit der Routine und dem Können eines Weltklassespielers ab, indem er – so man in solcher Phase solche Worte gebrauchen kann – fast seelenruhig haargenau auf den Augenblick wartete, da er den Schlußmann der BRD auch wirklich überwinden konnte. [. . .]

„Hoch soll sie leben, dreimal hoch", sangen die rund 1500 Touristen aus der DDR nach dem Abpfiff der Partie zwischen unserer Nationalmannschaft und der hochfavorisierten Vertretung der BRD durch den uruguayischen Unparteiischen Barreto. Unsere Jungen hatten diese Anerkennung mehr als verdient. Mit einer großartigen Steigerung gegenüber den ersten beiden Spielen mit Australien und Chile entzauberten sie an diesem Tage die namhaften Bundesliga-Stars Beckenbauer, Overath, Netzer und Müller.

„Warum wir heute gewinnen", hatte das Springer-Blatt „Bild" in Riesenlettern seine Aufmachung auf Seite 1 überschrieben und dazu dann im Sportteil diese trotz der Favoritenstellung der BRD-Mannschaft wohl etwas gewagte Behauptung durch Experten „begründen" lassen. Mit dem Anpfiff war dann auch deutlich zu erkennen, daß die von rund 60 000 Anhängern im ausverkauften Hamburger Volksparkstadion leidenschaftlich angefeuerten Gastgeber auf eine schnelle Entscheidung dringen wollten.

Es zeigte sich jedoch, daß Cheftrainer Georg Buschner und seine Helfer doch das richtige Rezept gefunden hatten, um erfolgreich Paroli zu bieten. Die Umstellungen in der Mannschaft waren für dieses Spiel goldrichtig. Lauck als Gegenspieler von Overath, Kurbjuweit als Bewacher von Hoeness, Weise als „Schatten" von Müller verschafften sich bald Respekt. Unsere Deckungsspieler bildeten einen souveränen Abwehrblock, ließen sich auch von den Doppelpaßversuchen der BRD-Mannschaft nicht überraschen. Mit schnellen Konterattacken sorgten sie selbst mehrmals für große Gefahr im Strafraum der Gastgeber.

So deutete sich schon in den ersten 45 Minuten an, daß mit dieser ausgezeichneten taktischen Einstellung dem Favoriten das Konzept verdorben werden könnte. An sich gab es vor dem von Jürgen Croy mit großer Ruhe und Bravour gehüteten Tor unserer Mannschaft nur einmal in der ersten Halbzeit wirkliche Gefahr. Einmal war Müller nicht energisch genug im Strafraum angegriffen worden, so daß er abschießen konnte. Zum Glück ging der Ball an den Pfosten. Andererseits aber hatten wir in dieser Phase gleichfalls zwei große Chancen. So schoß nach guter Vorarbeit von Lauck der freistehende Kreische aus Nahdistanz über den Torbalken und ein Lauck-Flachschuß ging nur um Zentimeter neben das Tor.

Nach dem Seitenwechsel kontrollierte unsere Mannschaft immer besser das Geschehen. Die BRD-Vertretung schien zwar optische Vorteile zu haben, zu zielgerichteten und erfolgversprechenden Angriffen aber kam sie kaum noch. Bezeichnend für die guten Leistungen unserer Elf war auch, daß der nach dem Australienspiel hochgelobte Regisseur Overath 20 Minuten vor Spielende entnervt den Rasen verließ. Aber auch der für ihn eingewechselte Netzer konnte das Steuer nicht mehr herumreißen. Selten sah man in letzter Zeit in der BRD-Mannschaft so viele Fehlpässe und – immer wieder bedingt durch die Gegenwirkung unserer Mannschaft – so viel schnörkelhafte Aktionen. Beim Schlußpfiff lagen sich unsere Spieler verständlicherweise jubelnd in den Armen. Wer hätte ihnen schon zugetraut, daß sie als Debütant den Gruppenfavoriten BRD bezwingen und den ersten Platz in ihrer Staffel einnehmen würden!

Mit dem Einzug in die Runde der acht weltbesten Mannschaften haben alle wohl schon die Erwartungen mehr als erfüllt. Wir sind sicher, daß unsere Auswahl auch in der zweiten Finalrunde mit letztem Einsatz kämpfen wird.

(Aus: Neues Deutschland, 23. 6. 1974, S. 1 u. 8)

*

Hat die Mannschaft der Bundesrepublik das Toreschießen verlernt?
Ein Team, das sich selbst Rätsel aufgibt

Wie die Zeit vergeht. Keine deutsche Fußballmannschaft der letzten Jahre beherrschte die Kunst des „unordentlichen Spiels" so perfekt wie jenes von Bundestrainer Helmut Schön an der lockeren Longe geführte Team, das 1972 Europameister wurde. Man konnte mit dieser Mannschaft angreifen, verteidigen, man konnte das Spiel langsam und schnell machen; welche Druckknöpfe man auch immer wählte, es sah so aus, als hätten die deutschen Profis der Bundesrepublik ein besonders gutes Verhältnis zur Automatik des Glücksrads. Und doch waren die Serienerfolge dieser Mannschaft alles andere als Zufall.

Zwei Jahre danach. Die deutsche Nationalmannschaft ist, gemessen an den Gagenforderungen ihrer Spieler, wesentlich teurer geworden. Aber sie ist im Spiel offensichtlich nur noch die Hälfte wert. Sie hätte „vergessen", sagte Helmut Schön nach der 0 : 1-Niederlage gegen das Team der „DDR", Tore zu schießen. Falsch. Sie hat es vielmehr verlernt.

Man sieht es immer schon kommen. Wenn in den ersten Spielminuten – und die deutsche Nationalmannschaft startet eigentlich stets recht zufriedenstellend – kein Tor fällt, dann wird es auch nichts mehr. Anderen Mannschaften geht im Verlauf eines Spiels die Puste aus, dem DFB-Team dagegen viel eher die Ideen.

Warum ist das so? Hat Bundestrainer Helmut Schön nicht spielerisch intelligente Leute genug, die er aufs Feld schicken kann? Sicher. Und doch konnten die Kollegen von „drüben" so gemächlich in Nachbars Garten ernten, als sei eben dieser Nachbar bei seiner eigenen Party gar nicht zu Hause gewesen.

Als Sparwasser in der 78. Minute das entscheidende Tor für die Mannschaft der „DDR" erzielte, da war das Spiel der einfallslos angreifenden Bundesligaprofis längst aus dem Leim gegangen. Selbst Helmut Schön muß angesichts der taktischen Hilflosigkeit seiner Mannschaft die Übersicht verloren haben; sonst hätte er wohl kaum auf den Ruf des Volkes gehört und den immer noch mit einem konditionellen Rückstand belasteten Netzer für Overath ins Spiel geschickt. Daß er es nur getan hätte, weil Overath „über Schmerzen klagte", muß als Schutzbehauptung für einen Wechsel gewertet werden, der außer dem Gegentor nichts einbrachte.

Das DFB-Team war in der Schlußphase dieser Begegnung tatsächlich um so weiter vom Ausgleichstreffer entfernt, je enger man im Strafraum des Gegners zusammenrückte. So entstand Panikstimmung im eigenen Angriff; Symptom für eine Mannschaft, die sich bei aller Überlegenheit selbst die größten Rätsel aufgibt. Und es ist zumindest rätselhaft, daß man in der Nationalmannschaft der Bundesrepublik offensichtlich darauf verzichtet, den Freiraum auf den Angriffsflügeln zu nutzen; daß man sich bei aller Platzangst fast magisch von einem Raum (dem Torraum des Gegners) angezogen fühlt, der sowieso schon knüppeldicke mit Spielern voll ist.

Wer bisher auch immer links und rechts im Angriff der Nationalmannschaft aufgeboten war, man vertraut augenscheinlich nicht darauf, daß es sich bei ihnen um richtige Außenstürmer handeln könnte. Das Mißtrauen ist allerdings so unberechtigt nicht, wenn man einmal an den Fingern abzuzählen versucht, wie häufig zum Beispiel Rechtsaußen Grabowski in den bisherigen WM-Spielen der deutschen Nationalmannschaft herzhaft aufs gegnerische Tor geschossen hat. Man kommt bequem mit den Fingern einer Hand aus.

Daß im übrigen auch Mittelstürmer Gerd Müller, der sich vorher über die „Uwe-Uwe"-Rufe der Hamburger beklagt hatte, zur Zeit nicht gerade in bester Verfassung ist, wird deutlich, wenn man ihm auf die Stiefel schaut. Im WM-Spiel gegen die „DDR" brauchte sich der Müller Gerd über keinen einzigen „Uwe"-Ruf zu beschweren, im Spiel war er indes um keinen Deut besser als gegen Australien.

Am nächsten Mittwoch geht es mit der 2. Finalrunde weiter. „Konsequenzen" für das Spiel gegen Jugoslawien wurden von der Öffentlichkeit gefordert. „Es ist grundsätzlich schlecht", sagt Alt-Bundestrainer Sepp Herberger, „wenn man eine Mannschaft während eines WM-Turniers völlig umkrempelt."

Was also läßt sich für das Düsseldorfer Spiel gegen Jugoslawien ändern, ohne das Gerüst des Teams ins Wanken zu bringen?

Nun, man könnte gefahrlos einen energischen Mann wie Hölzenbein auf den Rechtsaußen- und (etwas weniger gefahrlos) einen sensiblen Spieler wie Herzog auf den Linksaußen-Posten stellen. Man könnte sich einen torgefährlichen Allround-Typ wie Bonhof in der Mannschaft vorstellen; und man könnte selbst Nigbur für Maier nehmen. Aber am wichtigsten wird es für Helmut Schön zweifellos sein, den Schock dieser Niederlage in jenen „Rehabilitations-Effekt" umzumünzen, dem Sepp Herberger in einem WM-Turnier vor eigenem Publikum „die größte Bedeutung" zumißt. Dann nämlich wäre die Mannschaft dem Endspiel wieder so nahe, wie sie dem Hosianna in Hamburg nahe gewesen wäre, hätte sie – zufällig – das Tor des Tages im Hamburger Volksparkstadion geschossen und nicht die Kollegen von „drüben".

Gerhard Seehase

(Aus: Die Welt, 24. 6. 1974, S. 13)

*

Karl-Marx-Stadt, 6. 3. 1976 – Gruppe 5:
Deutsche Demokratische Republik – Bundesrepublik Deutschland

Am Ende fehlte unserer Mannschaft ein Treffer
11 : 8-Sieg der DDR-Handballer über die BRD genügte nicht zur Qualifikation /
Von unserem Berichterstatter Eckhard Galley

Wenige Minuten nach dem Schlußpfiff gratulierte DDR-Trainer Heinz Seiler bei der internationalen Pressekonferenz dem jugoslawischen BRD-Trainer Vlado Stenzel zur Qualifikation für die Olympischen Spiele 1976. Unsere Männer hatten das Spiel um die Montreal-Fahrkarten in Karl-Marx-Stadt nach einer großen kämpferischen Leistung zwar mit 11 : 8 gewonnen, doch fehlte ihnen damit ein Tor, nachdem sie vor elf Wochen in München 14 : 17 verloren hatten.

Die Internationale Handballföderation hatte bekanntlich ein spezielles Reglement für die europäischen Qualifikationsgruppen festgelegt. Darin wurde erst an dritter Stelle das „Gesamttorverhältnis" als Kriterium genannt. Nach dem Schlußpfiff in Karl-Marx-Stadt mußte dieser Passus herangezogen werden, denn: Für die BRD und die DDR ergaben sich jeweils 6 : 2 Punkte und ein gleiches Torverhältnis von 25 : 25. In diesem Falle kamen also die Tore beider Mannschaften aus den Spielen mit dem dritten Gruppenpartner Belgien in die Wertung. Und da hatte die BRD einen Vorteil von zwölf Toren. So entschied letztendlich der größere Eifer im Torewerfen gegen die Belgier . . .

Damit wäre schon alles gesagt, und man könnte sich darauf beschränken, Trainer Heinz Seiler zu zitieren, der in eben jener Pressekonferenz darauf verwies, daß zwei nicht verwandelte Siebenmeter und zuvor eine vermeidbare Dreitoreniederlage in München die deutlichsten Ursachen des Ausscheidens der DDR gewesen seien.

Andererseits würde man der DDR-Mannschaft allein mit solcher Darstellung des Geschehens Unrecht tun, weil unterschlagen worden wäre, daß sie sich ihrer schweren Aufgabe – mancher Fachmann des internationalen Handballsports nannte sie nach München kaum noch lösbar – mit viel Energie annahm. Sie bot eine große kämpferische Leistung, drückte dem Gegner ihr Spiel auf, nachdem dieser lange genug darum bemüht war, dem Spiel seine Taktik aufzuzwingen, und erzielte vorübergehend auch einen Vorsprung, der für die Reise nach Montreal gereicht hätte.

Daß der Gegner nicht aufsteckte, konnte niemanden verblüffen. Er kam bis auf 8 : 9 heran, nachdem er bereits 2 : 7 im Hintertreffen gelegen hatte. Aber dann setzte die DDR-Mannschaft mit letztem Einsatz noch einmal alles auf eine Karte und zog bis auf 11 : 8 davon. Ein nicht verwandelter Siebenmeter in der letzten Sekunde des Spiels entschied dann alles. Die „Schuld" womöglich dem gescheiterten Siebenmeterschützen anlasten zu wollen, würde wenig sportliches Verständnis verraten. Wir würden ihm und seinen Mannschaftskameraden eher bestätigen wollen, daß sie bis zur letzten Sekunde kämpften! Und nach dieser letzten Sekunde nach Mängeln und Fehlern zu forschen, scheint auch nicht sonderlich sinnvoll. Immerhin: Das erste Versäumnis, das ins Auge sprang, waren die fehlenden Tore gegen die Belgier.

Ein Journalist aus der BRD fragte Trainer Heinz Seiler, ob diese Niederlage für ihn persönlich Konsequenzen mit sich bringe. Er schüttelte den Kopf und nannte dem Fragesteller, der aus einer Welt kommt, in der sportliche Niederlagen beispielsweise oft zur fristlosen Kündigung des Trainers führen, seine nächsten Aufgaben . . .

(Aus: Neues Deutschland, 8. 3. 1976, S. 8)

*

Trainer Stenzel nach der Handball-Olympiaqualifikation: „Die größte Nervenschlacht" – Kapitän Horst Spengler: „Ich glaube, ich habe zum erstenmal gebetet"

Tatort: Eine Eislaufhalle in Chemnitz (Karl-Marx-Stadt). Täter: Eine Handball-Mannschaft. Delikt: Sie klaute eine Fahrkarte, die andere für sich beanspruchten. Das Ganze war ein Krimi am Nachmittag. Machart Hitchcock, in der die Spannung von Minute zu Minute mehr angeheizt wurde und am Ende ein Knalleffekt eingebaut war, der den sensiblen Betrachter mit zitternden Händen nach Herztropfen greifen ließ. Die bundesdeutsche Handball-Nationalmannschaft verlor im letzten Olympia-Qualifikationsspiel gegen die „DDR" zwar mit 8 : 11 (4 : 7), aber diese Niederlage war in einen Triumph verpackt. Bundestrainer Vlado Stenzel erfüllte sich seinen heißesten Wunsch: „Ein Ticket nach Montreal. Olympische Spiele 1976, hin und zurück bitte."

Es war ein Sieg ohne Reserven. Hätte die „DDR" ein Tor mehr geschossen, hätte sie den Trip nach Kanada gebucht. Nach dem 17 : 14-Erfolg der jungen bundesdeutschen Handball-Garde im ersten Spiel im Dezember in München brauchte die „DDR" unbedingt einen Sieg mit vier Toren Unterschied. Denn bei gleicher Punktzahl und gleicher Tor-Differenz in den Spielen untereinander zählten laut Reglement die Tore gegen den dritten Gruppengegner, Belgien. Und gegen die Prügelknaben dieser Gruppe hatte die bundesdeutsche Mannschaft kräftiger zugelangt.

Das eigentliche Spiel, der Krimi, begann erst, als das Spiel schon zu Ende sein sollte. Trainer Stenzel: „Die größte Nervenschlacht, die ich je mitgemacht habe." Die Chronologie:
● Die zweite Halbzeit dauerte schon 32 Minuten – also zwei Minuten über die Zeit. Die Schiedsrichter haben bei dem oft brutal harten Spiel, das für technische Feinheiten keinen Platz hatte, immer wieder die Uhr anhalten lassen. Hans Engel (Frankfurt/Oder) wirft das 11 : 8. Jetzt trennt die „DDR" noch ein läppisches Tor von Montreal.
● 33 Minuten, 34 Minuten – das Spiel scheint ewig dauern zu wollen. Die mit 5000 Menschen vollgepfropfte Halle, in der sonst Eisläufer ihre Kringel ziehen, glüht wie ein Hochofen, das Brennmaterial heißt Spannung. 35 Minuten – und noch kein Schlußpfiff.
● Selbst dem Beobachter des Internationalen Handball-Verbandes dauert der Nervenkrieg zu lange. Er unterbricht das Spiel und läßt sich vom „DDR"-Kampfgericht die Uhr zeigen. Mehr eine Geste der Aufmerksamkeit als echte Kontrolle, denn der Aufpasser hat selbst gar nicht mitgestoppt. Stenzel bestätigte später:

„Die Zeitnahme war korrekt."
* 36 Minuten – sechs Minuten über die Zeit! Siebenmeter für die „DDR". Um Engel abzublocken, hetzt Spengler (Hüttenberg) durch den Schußkreis, nach den Regeln verboten. „Was hätte ich denn anderes machen sollen?" fragt der Mannschaftskapitän zerknirscht. Heiner Brand liegt ausgestreckt am Boden und weint. „Ich konnte die Tränen einfach nicht mehr zurückhalten", klagte der Gummersbacher später. Spengler starrt stur auf das andere Tor: „Ich glaube, ich habe zum erstenmal in meinem Leben gebetet." Deckarm irrt umher wie ein Schneeblinder im Kohlenkeller: „Ich sah nichts mehr, ich hörte nichts mehr."

Trainer Stenzel sah in diesem Moment Montreal untergehen. „Zum erstenmal dachte ich, jetzt geht es schief, jetzt ist es aus." Torwart Hofmann geht langsam wie ein müder Wanderer, dem jeder Schritt wehtut, auf den Schiedsrichter zu und fragt leise, bittend, ja flehend: „Muß das sein?" Ein energisches Kopfnicken ist die Antwort. „Ich hätte mich am liebsten hinter den Torpfosten verkrochen", gibt der Mann aus Großwallstadt (Bayern) nachher zu. „Seit ich Torwart bin, hat mir vor einer solchen Situation gegraut. Aber ich hatte nichts zu verlieren. Der Schütze hat es da schwerer."

Schütze Engel fixiert Hofmann genau – Hypnose vor dem alles entscheidenden Schuß. Dann holt er aus. Hofmanns linkes Knie zuckt in die Höhe, der Ball knallt gegen das Bein, spritzt zur Hallendecke – der Schlußpfiff, das Ende.

Engel: „Ich sah Hofmanns linke Hand nach oben gehen. Und genau in die Ecke wollte ich eigentlich schießen. Ich ließ mich irritieren und habe die Ecke gewechselt. Aber ich habe zu spät geschossen."

Engel drückt sein Gesicht gegen den Parkettboden, liegt da wie tot. Mitten in einer Masse von Menschen, deren enttäuschte Blicke ihn anklagen.

Die Verlierer, die das Drei-Tore-Pokerspiel aber gewonnen hatten, feiern ihren Triumph. Brand vergießt plötzlich Freudentränen, und Stenzel dreht auf den Schultern von zwei Dutzend Fans Ehrenrunden.

95 000 Mark hatte die Vorbereitung auf diese Qualifikation verschlungen. 130 Tage Training und Tests – eine Tortur nur für Olympia hatte Stenzel seiner Mannschaft verordnet . . .

Für „DDR"-Cheftrainer Heinz Seiler war es wohl der letzte Kampf. Der Handball-Wissenschaftler ist seit 1953 im Amt, aber das vorolympische Aus des Vize-Weltmeisters gegen die Bundesrepublik ist auch das Aus für ihn. [. . .]

Vier Stunden nach dem Spiel holte Stenzel sogar noch seine Spieler zur Mannschaftsbesprechung. Hinter verschlossenen Türen und zugezogenen gelben Vorhängen ging es um Montreal. Der bärtige Jugoslawe hielt eine Vor-Mitternachts-Predigt und beschwor den Geist von München und Chemnitz bereits für Montreal herauf.

Werner Rudi

(Aus: Die Welt, 8. 3. 1976, S. 9)

10. Über Jugend und Schule in der DDR (Ost-Texte)

Bewußte Erben Ernst Thälmanns
Streiflichter zum 26. Pioniergeburtstag/Sie haben allen Grund, fröhlich zu feiern

Auf der heutigen Festveranstaltung zum Pioniergeburtstag in der 37. Oberschule können die 360 Jung- und Thälmannpioniere vor Partei- und Schulleitung einen tatenschweren Bericht über die Erfüllung ihres Pionierauftrages geben. Vieles haben sie geleistet, um ihren Pioniergeburtstag würdig vorzubereiten. Dazu gehören die bisher erreichten Lernergebnisse und der Abschluß der ersten Etappe ihrer Forschungsaufträge – z. B. erforschen die dritten Klassen den antifaschistischen Kampf ihres Vorbildes Georg Schumann. Der Wettbewerb in der Pionierfreundschaft „Pawel Bykow" brachte noch weitere gute Ergebnisse. Da ging es um die beste Wandzeitung und das beste Resultat bei Altstoffsammlungen (bereits 141 Kilogramm Altpapier wurden abgerechnet), der Klub der internationalen Freundschaft bereitet für den 17. Dezember ein Fest der russischen Sprache vor, und die Pioniere der Schule sammelten seit September 520 Mark für die internationale Solidarität. Auch die Timurhilfe wird groß geschrieben. Die Pioniere betreuen 15 Veteranen. Die Klasse 4 c erfreut ältere Bürger im Veteranenklub mit Kulturprogrammen.

Heute zur Geburtstagsfeier ihrer Organisation, für die die Klasse 6 c ein duftes Programm einstudierte, werden nicht nur die besten Pioniere ausgezeichnet. Die Klassen feiern auch mit ihren Patenbrigaden, so aus dem VE VTK und VEB ORSTA-Hydraulik. Mitglieder des Theaters der Jungen Welt bereiten dazu noch mit dem Puppenspiel „Bummelkarls Erlebnisse" den jüngsten Pionieren fröhliche Stunden.

Anerkennung zum Pioniergeburtstag auch den Mitarbeitern der Pionierhäuser! Die jüngste Einrichtung dieser Art besteht seit drei Monaten im Stadtbezirk Mitte, in der Marthastraße 9. Ganz fertig ist das Haus allerdings noch nicht. Gardinen sind anzubringen, Handwerker werden erwartet, die Thälmannecke wird eingerichtet . . . Da packen neben den Handwerkern auch die Mitarbeiter des Pionierhauses kräftig zu, denn im Januar, zur Einweihungsfeier soll alles „glänzen". Doch schon jetzt gibt es hier Veranstaltungen für die Pioniere. Als pädagogisches Zentrum für die außerschulische Erziehung bewährt sich das Pionierhaus bereits. Den Schulen werden wertvolle Hinweise für die Bildung von Arbeitsgemeinschaften vermittelt. Eine Mathematik- sowie eine Astronomiearbeitsgemeinschaft wurden gebildet, die AG „Junge Schulgärtner" aus der Taufe gehoben. Eine Arbeitsgemeinschaft Kraftfahrzeugtechnik wird in Zusammenarbeit mit Betrieben entstehen. Die Bildung des Klubs der internationalen Freundschaft mit Pionieren und FDJ-Mitgliedern der 13. Oberschule steht ebenfalls auf dem Programm.

Petra Frommer

(Aus: Leipziger Volkszeitung, 13. 12. 1974, S. 12)

. . . wie die Blume das Licht
Tag der Solidarität im Internationalen Pionierlager in Prerow/Freiheit für Luis
Corvalan!

Für eine glückliche Zukunft aller Kinder traten gestern etwa 600 Mädchen und
Jungen im Internationalen Pionierlager „Kim Ir Sen" in Prerow auf dem Darß
beim „Tag der Solidarität" ein. Sie bekundeten ihren festen Willen, ständig für
antiimperialistische Solidarität, Frieden und Freundschaft zu wirken. Dieser Gedanke, der die Mädchen und Jungen aus elf Ländern während ihres Treffens im
größten Pionierlager der Völkerfreundschaft an der DDR-Ostseeküste verband,
spiegelt sich in einem Appell an die UNO wider. Darin rufen die Vertreter von
Kinderorganisationen aus sozialistischen Ländern, Skandinavien und Island alle
friedliebenden Menschen auf, ihre Kraft für das Wohl der Kinder der ganzen Welt
einzusetzen. „Wir Kinder brauchen den Frieden, wie die Blume das Licht, wir
brauchen Freundschaft, wir brauchen die Sonne" heißt es darin.
    Über die verschiedenen Solidaritätsaktionen berichten die Jugendlichen in
einem internationalen Seminar. Sichtbar wurden diese Initiativen auch bei dem
Solidaritätsbasar, für den die Mädchen und Jungen während ihres Aufenthaltes in
der DDR kleine Souvenirs gebastelt hatten. Auf einem großen Meeting am Abend
forderten sie gemeinsam mit Einwohnern des Ostseebades Prerow und Urlaubern
Freiheit für Luis Corvalan und alle anderen eingekerkerten chilenischen Patrioten.
    Über 500 Thälmannpioniere des Bezirkes Neubrandenburg begingen im Zen-
tralen Pionierlager „Klim Woroschilow" gemeinsam mit ihren Gästen – Leninpionieren und Komsomolzen – den Tag der Sowjetunion. Höhepunkt für alle
Lagerteilnehmer war der Woroschilow-Gedenkappell.

(Aus: Norddeutsche Neueste Nachrichten. Bezirkszeitung der National-Demokratischen
Partei Deutschlands (Rostock), 5. 8. 1974, S. 1)

Auftakt der Pionierstafette „Immer bereit" in Berlin

Berlin (ADN). Unter dem Motto „Nimm dir ein Beispiel an den Kommunisten"
wurde am Sonntag im Maxim Gorki Theater in Berlin der Auftakt zur Pionierstafette „Immer bereit" gegeben, mit der sich die Thälmannpioniere an der Vorbereitung des IX. Parteitages der SED beteiligen. Vor 450 Freundschaftsratsvorsitzen-
den und Freundschaftspionierleitern berichteten die Jungen und Mädchen im
Beisein von Dr. Roland Bauer, Mitglied des ZK der SED und Sekretär der
Bezirksleitung Berlin, über ihre seit dem VIII. Parteitag der SED erreichten Erfolge
und über die neuen Aufgaben.
    Ingo Skowski, Bezirksvorsitzender der Pionierorganisation „Ernst Thälmann",
orientierte die Pioniere auf die nächsten fünf Etappen der Freundschaftsstafette.
Sie werden sich mit dem Leben Ernst Thälmanns und Wilhelm Piecks näher
vertraut machen und anläßlich des 100. Geburtstages von Wilhelm Pieck einen
Ehrenappell in Friedrichsfelde gestalten. Die Ergebnisse wollen die Pioniere in
Tagebüchern festhalten und zum IX. Parteitag der SED Genossen überreichen. In

einer Protestresolution forderten die Teilnehmer Freiheit für alle chilenischen Patrioten und die Beendigung der faschistischen Diktatur in Spanien.

(Aus: Neues Deutschland, 20. 10. 1975, S. 2)

Pioniere fahnden nach Millionen
Aktivitäten in allen Bezirken beim Sammeln von Altstoffen und Schrott für die Volkswirtschaft

Die Jung- und Thälmannpioniere unserer Republik beteiligen sich mit der „Pionierstafette ‚Immer bereit' " an der Parteitagsinitiative der FDJ. Unter dem Motto „Entdeckungen bei uns zu Hause" schauen sie sich dabei in ihrer Umgebung um, was sich hier seit dem VIII. Parteitag der SED verändert hat. Sie treffen sich zu Gesprächen mit erfahrenen Genossen, beteiligen sich an gesellschaftlich nützlicher Arbeit an der Schule. Das gewissenhafte und disziplinierte Lernen ist ebenso Bestandteil der Pionierstafette wie die weitere Festigung der freundschaftlichen Verbindungen mit Leninpionieren, Komsomolzen und allen Mädchen und Jungen in den sozialistischen Bruderländern. Sport, Spiel und kulturelle Tätigkeit kommen nicht zu kurz.

Bereits seit dem Frühsommer sind die Jung- und Thälmannpioniere in allen Schulen dabei, Altpapier, Alttextilien, Flaschen, Gläser und Schrott zu sammeln, eine Bewegung, die unter dem Motto „Millionen für unsere Republik" im Pionierauftrag verankert ist. Diese Aufgabe löste viele Initiativen und Aktivitäten in allen Bezirken und Kreisen aus. Unterstützt von ihren Lehrern, Erziehern, Pionierleitern, den Eltern, Mitgliedern der FDJ und den Patenbetrieben konnten sie bereits Sekundärrohstoffe im Werte von mehreren Millionen Mark zu den Erfassungsstellen bringen. Bei den Kreisleitungen der FDJ wurden Arbeitsgruppen gebildet, die die Tätigkeit der Pioniere auf diesem Gebiet unterstützen. In allen Schulen beriefen die Freundschaftsräte „Fahndungsstäbe", in denen Pioniere und FDJler erfolgreich zusammenarbeiten. Sie schließen Verträge mit dem VEB Altstoffhandel, dem VEB Metallaufbereitung sowie der örtlichen Versorgungswirtschaft (ÖVW) ab, damit die gesammelten Rohstoffe schnell der Volkswirtschaft zugeführt werden. [. . .]

Im Kreis Luckenwalde organisierten die Jungen Pioniere in den Schulen in der ersten Novemberwoche eine große Sammelaktion. Nachdem die Abrechnung vom Altstoffhandel dafür vorliegt, hat sich ihr Sammelergebnis nunmehr auf 54226,46 Mark erhöht. Damit führt der Kreis Luckenwalde im Bezirk Potsdam und gehört zu den besten in der Republik. Das vorgesehene Ziel, ein Ergebnis von 50000 Mark, wurde also bereits übertroffen. Im Durchschnitt sammelte jeder Jung- und Thälmannpionier des Kreises Luckenwalde rund 11,50 Mark. Die Mädchen und Jungen werden vorbildlich von den FDJ-Mitgliedern ihrer Schulen unterstützt, z. B. beim Transport schwerer Schrottstücke. FDJ-Schülerbrigaden helfen auch dem VEB Altstoffhandel beim Sortieren der angelieferten Materialien. Die Patenbrigaden sorgen dafür, daß die Altstoffe schnell zu den Erfassungsstellen transportiert werden.

Mit der Großfahndung „Millionen für unsere Republik" ist eine Tombola verbunden, an der sich Mädchen und Jungen, Pioniergruppen und -freundschaften beteiligen können, wenn sie eine entsprechenden Abschnitt mit dem bestätigten Sammelergebnis einsenden. Ir Abständen von einigen Wochen werden wertvolle Preise ausgelost.

Bis zum 13. Dezember, der Jahrestag der Pionierorganisation „Ernst Thälmann", wollen die Mädchen und Jungen einen volkswirtschaftlichen Nutzen von fünf Millionen Mark erarbeiten. Die besten Ergebnisse meldeten bisher die Pionierfreundschaften der Bezirke Gera, Schwerin und Suhl. Noch aufzuholen haben die Pioniere in den Bezirken Rostock und Berlin.

(Aus: Neues Deutschland 15. 11. 1975, S. 2)

Auf den Spuren ihres Vorbildes
Von Elke Wischerpp, Pionierleiterin, Wilhelm-Pieck-Oberschule Halberstadt

Ein Höhepunkt in der kurzen Geschichte unserer neuen Schule war der feierliche Tag der Namensgebung im November 1971. Elly Winter-Pieck war zu uns gekommen. Damals und bei einem zweiten Besuch erzählte sie uns mit großer Herzlichkeit von ihrem Vater, von seinem kampferfüllten Leben.

Die Mädchen und Jungen bemühen sich, an solchen Berichten über den Arbeiterführer ihr eigenes Tun und Handeln zu messen. Sie streben als Pioniere und FDJler nach guten Leistungen. An unserer Schule gehen wir davon aus: Der beste Weg, das Vermächtnis von Wilhelm Pieck zu erfüllen, ist, wenn wir Unterricht und außerunterrichtliche Tätigkeit voll für die Entwicklung sozialistischer Persönlichkeiten nutzen. Wir richten dabei unser Augenmerk vor allem auf die ständige Klärung politisch-ideologischer Probleme sowohl unter Pädagogen als auch unter er Schülern.

Im Oktober erhielten alle Klassen Forschungsaufträge entsprechend der Pionierstafette „Immer bereit!". Jetzt erfolgt eine Zwischenabrechnung, die endgültige Bilanz wird zum IX. Parteitag gezogen. Die Ergebnisse werden im Traditionskabinett der Schule ausgestellt, das am 3. Januar mit einem Festappell feierlich eingeweiht wird. Viele Klassen legen Bücher mit dem gesammelten Material, Bildern, Gedichten an, die auch den Brigaden des Patenbetriebes zur Verfügung gestellt werden sollen.

Die Pioniere der Klasse 6 c befragten z. B. Genossen nach Wilhelm Pieck, und versuchten so, eine Antwort auf ihre Frage zu finden, wie er sich in seinem ganzen Leben für die Interessen der Arbeiterklasse eingesetzt hat und warum er so konsequent für die Gründung der SED eingetreten ist. Kleinere Forschungsgruppen dieser Klasse schrieben darüber, wie die Politik der SED im Kreis Halberstadt wirksam wurde.

Eine andere Klasse, die Klasse 4 a, forschte nach Genossen, die Wilhelm Pieck noch persönlich gekannt haben, dabei wurden drei Veteranen ermittelt. Die Thälmannpioniere der 5 b wiederum beschäftigten sich mit der Entwicklung des im zurückliegenden Fünfjahrplanzeitraum entstandenen Kindergartens in unserem Neubaugebiet. Sie erkundeten und schrieben auf, wie unser Arbeiter-und-Bauern-Staat stets für die Jüngsten sorgt. Im Ergebnis ihrer Nachforschung baten sie jetzt die Schulleitung, mit dem Kindergarten einen Freundschaftsvertrag abschließen zu können. Sie möchten vor allem Verbindung mit den Mädchen und Jungen der Vorschulgruppe halten, die bald in ihre Schule kommen.

(Aus: Neues Deutschland, 2. 1. 1976, S. 4)

Freude auf die Zukunft

In den meisten Familien ist das Thema schon einmal aktuell gewesen oder wird es in absehbarer Zeit: Jugendweihe. Ersehnter Frühlingstag der 14jährigen. Bereits mehr als vier Millionen Jugendliche der DDR erlebten ihn im Laufe der vergangenen 20 Jahre. Sie haben ihr Gelöbnis gesprochen, sich auf unsere Seite gestellt, ihre junge, wachsende Persönlichkeit der sozialistischen Gesellschaft verschrieben. Geboren, noch ehe unser Staat existierte, wirkt hier eine gute Tradition des Proletariats fort, die jungen Menschen zielgerichtet auf das Leben, als bewußte Kämpfer für die Sache der Arbeiterklasse vorzubereiten.

Jedes Jahr im Herbst beginnen die 8. Klassen ihre Jugendstunden. Erwartungen, genährt aus dem Erleben vergangener, anspruchsvoller Bildungsjahre, klingen in den Fragen, den schon mehr oder weniger selbstbewußt geäußerten Gedanken der Schüler mit. Das spüren die 100000 ehrenamtlichen Mitarbeiter der Ausschüsse für Jugendweihe, die Jugendstundenleiter, die Gesprächspartner. Das spüren die aufmerksamen Eltern und Lehrer. Und wer von Anfang an dabei war, der kann auch Entwicklungen feststellen. Genosse Werner Schönfelder aus dem VEB Waggonbau Niesky zum Beispiel, Mitglied des Bezirksausschusses für Jugendweihe, ein erfahrener Arbeiter. Er gehörte mit zu den ersten, die ihre politische Erfahrung, ihre Kenntnis des Lebens für die unmittelbare weltanschauliche Bildung und Erziehung der jungen Menschen aufwandten. Er merkte in den Stunden, wo er Jugendgruppen seinen Arbeitsplatz zeigte, ökonomische und gesellschaftliche Zusammenhänge an Beispielen erläuterte, daß die Jungen und Mädchen ihn brauchen.

Stärker beschäftigt nämlich die Heranwachsenden unserer Tage, wie die Menschen sind, die ihrem Staat Reichtum und Ansehen verschaffen. Wo sie, die heutigen Schüler, aufwuchsen, da möchten sie auch aktiv sein, ihren Standpunkt bestimmen, Vorbildern nacheifern. Der Blick weitet sich, wenn man mit einem Brigadier über die Baustelle geht, anschaulich den Sinn einer Gedenkstätte erklärt bekommt, selbst einmal im Observatorium Sternstunden erlebte oder die Bekanntschaft mit Künstlern machen durfte. So lernen sie verstehen, was es heißt, bewußt an sich zu arbeiten.

Und noch eins hinterläßt deutliche Spuren: Erstmals ziehen die Schüler in dieser Zeit das Blauhemd an. Jugendgesetz, Freundschaftsstafette werden vertraute Begriffe, die Stellungnahme erheischen. Das ist ihr Bewährungsfeld, soll jeden einzelnen stärker fordern, Orenburger Perspektiven öffnen . . .

Die Jugendstundenteilnehmer beschäftigen sich jetzt mit den heroischen Taten der sowjetischen Menschen bei der Befreiung unseres Volkes vom Hitlerfaschismus. Manches persönliche Erlebnis gibt es, wenn Soldaten der Sowjetarmee erzählen, wenn historische Stätten durch Worte und Bilder lebendig werden. Gerade der Augenblick im Frühling, wenn die 14jährigen ihr Gelöbnis ablegen, ist angetan, den Gedanken des Sieges über Nacht und Krieg zu vergegenwärtigen. Das ist üblich bei uns seit 20 Jahren. Doch dieser Frühling 1975 wird besonders ein, weil das Blühen vor genau 30 Jahren begann. Schon im Herbst fangen wir an, an zu feiern. Eben jetzt, wo die Aufregung der Jungen und Mädchen wächst, eine glückliche Aufregung, die die ganze Familie erfaßt, an der wir alle freudig und mit berechtigtem Stolz Anteil nehmen.

Dr. Vera Kliemann

Aus: Sächsische Zeitung. Organ der Bezirksleitung Dresden der SED, 16./17. 11. 1974, 2)

Was soll durch die Jugendweihe erreicht werden?

Die Jugendweihe ist ein wichtiger erzieherischer Faktor im Leben der Schüler. Mit ihr werden die Jugendlichen symbolisch in die Reihen der Erwachsenen aufgenommen. Jährlich beteiligen sich an ihr weit mehr als 90 Prozent aller Schüler des . Schuljahres. Im Jahre 1963 nahmen an den 4932 Jugendweihe-Feiern rund 655 000 Eltern und Gäste teil. In zahlreichen Gemeinden sind die Jugendweihe-feiern bereits zu einer Sache des gesamten Ortes geworden. Das wichtigste Anliegen der Jugendweihe ist, die jungen Menschen auf das Leben und die Arbeit in der sozialistischen Gesellschaft vorzubereiten und ihnen zu helfen, den Sinn des Lebens zu erkennen sowie ein klares und festes Verhältnis zur Arbeiter-und-Bauern-Macht und zum sozialistischen Vaterland zu gewinnen.

In besonderen Jugendstunden werden die Jungen und Mädchen in Gesprächen mit Arbeiterveteranen, Aktivisten, Wissenschaftlern, Ärzten, Künstlern und anderen, durch Exkursionen zu Stätten der Arbeiterbewegung, wissenschaftlichen Einrichtungen und Produktionsbetrieben sowie durch den Besuch von Theater-, Konzert- und Filmaufführungen und Ausstellungen auf die Jugendweihe vorbereitet. Religiöse Überzeugungen werden durch das Jugendstundenprogramm nicht berührt. Während der Jugendweihe selbst wird von allen Teilnehmern ein Gelöbnis abgelegt.

Gelöbnis

Liebe junge Freunde!

Seid ihr bereit, als treue Söhne und Töchter unseres Arbeiter-und-Bauern-Staates für ein glückliches Leben des gesamten deutschen Volkes zu arbeiten und zu kämpfen, so antwortet mir:

Ja, das geloben wir!

Seid ihr bereit, mit uns gemeinsam eure ganze Kraft für die große und edle Sache des Sozialismus einzusetzen, so antwortet mir:

Ja, das geloben wir!

Seid ihr bereit, für die Freundschaft der Völker einzutreten und mit dem Sowjetvolk und allen friedliebenden Menschen der Welt den Frieden zu sichern und zu verteidigen, so antwortet mir:

Ja, das geloben wir!

Wir haben euer Gelöbnis vernommen, ihr habt euch ein hohes und edles Ziel gesetzt. Ihr habt euch eingereiht in die Millionenschar der Menschen, die für den Frieden und den Sozialismus arbeiten und kämpfen.

Feierlich nehmen wir euch in die Gemeinschaft aller Werktätigen in unserer Deutschen Demokratischen Republik auf und versprechen euch Unterstützung, Schutz und Hilfe.

Mit vereinten Kräften – vorwärts!

(Aus: DDR. 300 Fragen – 300 Antworten. Berlin/DDR: Verlag Die Wirtschaft ⁷1965 S. 247–249)

Gibt es in der DDR eine vormilitärische Ausbildung der Jugend?

In der Gesellschaft für Sport und Technik (GST) können Jugendliche und Erwachsene auf freiwilliger Grundlage sich durch eine sportlich-technische Ausbildung darauf vorbereiten, ihre sozialistische Heimat zu verteidigen. Diese sozialistische Wehrerziehung ist ein Bestandteil des sozialistischen Bildungssystems. In verschiedenen Sektionen für Schieß-, Motor-, Flug-, Nachrichten- und Seesport werden Zehntausenden Jugendlicher solche militärischen und technischen Kenntnisse vermittelt. Die GST arbeitet bei der sozialistischen Wehrerziehung mit den Bildungseinrichtungen der Freien Deutschen Jugend und anderen gesellschaftlichen Organisationen zusammen. Viele Mitglieder der GST haben auch in den letzten Jahren im Leistungssport hervorragende Ergebnisse erreicht. Einige von ihnen sind heute Welt- und Europameister, Weltrekordinhaber und Träger des Titels „Verdienter Meister des Sports" oder „Meister des Sports". Besonders erfolgreich sind die GST-Fallschirmspringer, die eine Vielzahl von Weltrekorden gewannen.

(Aus: DDR. 300 Fragen – 300 Antworten. Berlin/DDR: Verlag Die Wirtschaft ⁷1965 S. 81–82)

Würdiger Beitrag der Jugend zum Schutz des Sozialismus

Berlin (ADN). Die verteidigungsbereite Jugend der DDR hat in der Masseninitiative „GST-Auftrag 25" einen würdigen Beitrag zum zuverlässigen Schutz des Sozialismus geleistet. Diese Bilanz zog am Mittwoch der Vorsitzende des GST-Zentralvorstandes, Generalmajor Günther Teller, in Berlin. Als erfolgreichste Bezirksorganisationen wurden Cottbus, Erfurt und Dresden mit dem „Ernst-Schneller-Ehrenbanner" geehrt. In der Aktion „GST-Auftrag 25" haben sich Tausende FDJ- und GST-Mitglieder politisch, militärpolitisch und physisch auf ihren Wehrdienst vorbereitet und dabei ihre engen Freundschaftsbande zu den Sowjetsoldaten vertieft. 400000 erfüllten die Bedingungen für das Schießabzeichen. Zahlreiche Jugendliche wollen Berufsoffizier oder -unteroffizier bzw. Soldat auf Zeit werden.

(Aus: Neues Deutschland, 3. 10. 1974, S. 2)

Hans-Beimler-Wettkämpfe wurden eröffnet

Ludwigsfelde (ADN). Mutig und standhaft wie Hans Beimler zu sein und hohe wehrsportliche Leistungen zur Stärkung der DDR zu vollbringen, gelobten am und chilenische Studenten sowie eine Gruppe aus dem Magdeburger Partnergebiet Hradek Kralove (ČSSR).

K. R.

(Aus: Neues Deutschland, 18./19. 10. 1975, S. 4)

Kulturvolles Klima in der Schule

Jeder, der durch die 19. Oberschule im Dresdner Stadtzentrum geht, glaubt, daß die Schüler gerade erst in dieses Gebäude eingezogen sind, so neu und sauber sieht es überall aus. Vom Keller bis zum letzten Obergeschoß. Doch nicht nur die Sauberkeit beeindruckt. Die kulturvolle, die Lernarbeit günstig beeinflussende Atmosphäre dieses Schulhauses wird von farbenfrohen großflächigen Wandmalereien, von Blumenarrangements, in den Gängen von fast 100 kleinen Kunstwerken geprägt. Da sind Reproduktionen, die häufig gewechselt werden, im Fach Kunsterziehung entstandene Schülerarbeiten und auch Aquarelle, Zeichnungen, Schnitzereien und kunsthandwerkliche Arbeiten, die der Fachlehrer Siegfried Sack schuf.

Jeder Fachunterrichtsraum wurde nach einem für das gesamte Haus vom Pädagogenkollektiv festgelegten Plan zur Arbeitskultur so gestaltet, daß Zweckmäßigkeit und Schönheit gleichermaßen berücksichtigt sind. So ist eine Wand des Russischraumes mit Originalplakaten aus Leningrad „tapeziert", die sowohl in den Unterricht einbezogen werden als auch eine wichtige schmückende Funktion haben. Gleichzeitig vermitteln sie Einblick in die sowjetische Plakatkunst und moderne Gebrauchsgrafik. Im Fachunterrichtsraum für Kunsterziehung beweisen die Schüler mit vielen individuell gestalteten Details – von Ornamentbändern an den Wänden bis zu den mit stilisierten Volkskunstmotiven bemalten Stuhllehnen – den Wert der Erziehung zum guten Geschmack.

Die kulturvolle Ausgestaltung der Schule und die Sauberkeit aller Räume sind Jugendobjekte, ständig kontrolliert von der Kommission für gesellschaftlich nützliche Arbeit, die auch darauf achtet, daß regelmäßig die ausgestellten Kunstwerke gewechselt, die Blumen gepflegt werden, die Wasserbecken in den Zimmern sauber sind und die gärtnerischen Außenanlagen betreut werden.

Gegenwärtig entstehen Pläne, wie die Innenhöfe neu zu gestalten sind: Schmuckelemente an den Wänden, kleine Podien für Zusammenkünfte der Klassenstufen und als Auftrittsorte für die künstlerischen Arbeitsgemeinschaften, zum Aufstellen von Tischtennisplatten, Bänken und Blumenschalen aus Kunststein. Auch dabei werden die Pionier- und FDJ-Grundorganisation der Schule wieder eigenverantwortlich Aufgaben übernehmen – eine Arbeitsweise, die der kommunistischen Erziehung dient.

Horst Richter

(Aus: Neues Deutschland, 23. 1. 1976, S. 4)

Gelöbnis der Jugend der DDR
Zum 25. Jahrestag der Gründung der DDR

In dieser feierlichen Stunde,
in der wir uns des historischen Tages
der Gründung unserer Republik erinnern
und des Versprechens,
sie als Haus des Friedens aufzubauen,
in dieser Stunde, in der wir auch nach vorn
in kommende Jahrzehnte schauen,
bekräftigen wir,
die Mitglieder der Freien Deutschen Jugend,
unser Bekenntnis
zu unserem sozialistischen Vaterland,
der Deutschen Demokratischen Republik.
Wir,
die Jugend der Deutschen Demokratischen Republik,
aufgewachsen in der Obhut
unseres Arbeiter-und-Bauern-Staates,
groß geworden unter Führung
der Sozialistischen Einheitspartei Deutschlands
und durch die Freundschaft mit dem Lande Lenins,
das als Befreier vom Faschismus unserem Volk die Fesseln nahm,

wir geloben

unvergessen bleiben uns die Opfer und das Heldentum
der Soldaten der Sowjetunion
und der Mut, die Mühen und die Zuversicht
der revolutionären Kämpfer,
die sich nicht schonten für des Volkes Wohlergehen
und den Grundstein legten für die Gegenwart des Sozialismus.
Wir,
die jungen Sozialisten der
Deutschen Demokratischen Republik,
gelernt zu denken und zu handeln nach den Erkenntnissen
von Marx und Engels und von Lenin,
gefordert und gefördert von der Arbeiterklasse
und ihrer marxistisch-leninistischen Partei,
die unserem Land sein gutes Antlitz gab,

wir geloben

als Helfer und Reserve der Partei immer bereit zu sein,
alle unsere Fähigkeiten zu entwickeln,
um mit unserer Arbeit immer besser
dem Sozialismus und dem Frieden in der Welt zu dienen.

Wir,
die junge Garde Thälmanns der
Deutschen Demokratischen Republik,
Freund und Kampfgefährte der Sowjetunion
und der fest um sie gescharten Bruderstaaten,
verbündet mit dem antiimperialistischen Kampf der
Völker und der Jugend aller Kontinente,

wir geloben

stets uns als Klassenkämpfer zu bewähren
und im Geist des sozialistischen Patriotismus
und des proletarischen Internationalismus
immer so zu handeln, wie es uns Ernst Thälmann lehrte.
Wir,
die Jungen in der Stafette der Generationen
der Deutschen Demokratischen Republik,
die wir mit den Beschlüssen des VIII. Parteitages der SED
unser Heute mitgestalten
und schon die Brücken schlagen
ins kommunistische Jahrtausend,

wir geloben

unserer Heimat, einem Land der
Arbeit, der Liebe und Geborgenheit,
Land der Völkerfreundschaft und Solidarität,
diesem Vaterland gilt unsere Treue,
und wir schützen es wie unser Leben.
All unsere Kraft der Deutschen Demokratischen Republik,
daß sie in der sozialistischen Gemeinschaft weiterwachse
und immer so geachtet sei wie heute
als Staat des Friedens in der Welt.
Das geloben wir.

(Aus: Norddeutsche Neueste Nachrichten, Rostock, 8. 10. 1974, S. 2)

Kommunikation/Sprache

Materialien für den Kurs- und Projektunterricht.
Hrsg. von Hans Thiel.

Diesterweg

90.35/25